ㅎㅎㅎㅋㅋㅋ

KB021216

강일구 에세이집

ㅎㅎㅎ
ㅋㅋㅋ

YD 연두에디션
Édition

추천의 글

내가 호서대학에 관심을 갖게 된 것은 정진경 목사님이 대학 이사장이 되면서부터였다. 정 목사님은 월드비전 이사회 회장이었고 나는 이사로 도와드렸다. 언제나 호서대학을 위해 기도드리는 마음으로 돕던 인상이 감명적이었다.

정 목사님은 우리 곁을 떠나시고, 최근 두세 차례 대학을 방문하면서 총장님을 비롯한 대학 가족들과 친분을 쌓게 된 것을 감사히 생각한다.

지난달에, 강일구 총장께서 책을 발간하게 되었는데, 추천사를 써주면 독자들에게 도움이 될 것 같다는 연락을 받았다. '학술적이거나 전문 분야의 저서라면 청탁해 올 리가 없을 텐데…'라는 궁금증이 생겼다. 보내 준 내용의 몇 부분을 읽으면서 역시 내 짐작이 옳았다고 느꼈다.

1960년대 초반에 내가 썼던 수상집 두 권 생각이 났다. 우리 사회가 안고 있는 정신적 문제들을 논술이나 가르침보다는 함께 생각하면서 걱정하는 마음으로 대화를 나누고 싶었을 것이다. 그럴 때 글을 쓰는 사람은 예화나 비유, 주변 이야기들을 소개하면서 우회적으로 문제를 풀어가고 싶어진다. 종교 창시자들이 남겨주는 상징적 교훈이 그런 것이다. 성경에도 예수님은 비유가 아니면 말씀하지 않았다고 했을 정도다. 진리의 상징적 표현이 비유가 되었던 것이다. 나도 그런 뜻에서 썼던 글들이 수필이나 수상문으로 남겨졌다. 비유에서 의미를 찾고 그 의미가 간접적 교훈이 되고 함께 대화하면서 사회적 가치관으로 나타나게 된다.

저자인 강일구 총장께서도 그런 글을 남기고 싶었을 것이다. 읽으면서 미소를 짓기도 하고, 같은 공감으로 걱정되는 문제를 발견하기도 한다. 저자의 풍부한 경험, 뛰어난 문장력, 여유로운 유머 감각이 넘치는 내용들이 독자들의 마음을 채워 줄 것이라고 믿는다. 코로나19 이전이나 금년과 같은 무더위 전에 출간되었으면 더 좋았을 이야기들이다. 총장으로서의 저자가 아닌 '인생의 이야기 선배'의 따뜻하고 진정 어린 대화에 참여하는 독자가 많아졌으면 좋겠다.

2023년 한더위에
김형석 연세대 명예교수

추천의 글

「ㅎㅎㅎ,ㅋㅋㅋ」옆에서 웃음소리가 들리는 듯한 유쾌한 제목의 마음 따뜻해지는 책이라고 느껴집니다. 40여 년 한평생 교육자로 살아온 강일구 총장님의 청년에 대한 따뜻한 시선 그리고 사회를 향한 애정 어린 쓴소리가 담겨있습니다. 재밌지만 가볍지 않은, 세련되지만 차갑지 않은 그의 삶과 철학이 일화와 사유를 통해 쉽게 쓰여 있어 저도 매우 재밌게 읽었습니다. 인생과 세상에 대한 배움이 필요한 모든 이들이 꼭 한번 읽어보기를 추천합니다.

김우식 창의공학연구원 이사장
(前 부총리 겸 과기부장관, 前 연세대 총장)

〈ㅎㅎㅎ, ㅋㅋㅋ〉를 펴내며

청년들에게 미래는 뿌연 안갯속처럼 흐릿하다. 길을 찾기가 어렵고, 잃기도 쉽다. 가늠할 수 없는 미래를 살아가야 하는 우리 청년들이 희망을 품고 방향을 잡을 수 있길 바라는 마음에서 글을 쓴다. 물론 대부분은 생활 주변의 이야기들이거나 생각 속에만 있던 것이지만, 청년들에게 도움이 된다면 좋겠다.

피카소가 수만 점의 그림을 그렸다는데, 그중 몇 작품이 주목받자 세계적인 화가가 되었다고 한다. 나도 계속 글을 쓴다면, 많은 글 중 한둘은 명문으로 남길 수도 있으리라는 희망을 품고 좋은 글이 되도록 내 생각을 글로 적는다. 더러는 억지도 있고 잡티 또한 없지 않으나 그렇다고 내 생각에서 멀리 떠난 것은 없다. 읽는 이들이 애교로 받아주면 고맙겠다.

이 책이 나오기까지 도와주신 여러분께 감사드리고 싶다. 자신의 글 게재를 승낙한 김성룡 교수, 원고 초안을 읽고 충고를 아끼지 않은 김재진 교수, 조태연 교수, 염창선 교수, 김동주 교수에게 감사한다. 특히 추천의 글을 써주신 김형석 연세대 명예교수님과 김우식 전 부총리 겸 과기부 장관님께도 감사드린다. 표지를 디자인해 준 송성재 교수와 삽화를 그린 신현수 작가에게도 감사를 표한다. 그리고 특히 연두에디션의 심규남 대표와 이정선 부장의 전문적인 조언과 도움에 감사드린다.

2023. 8.
아산 세출리에서 강 일 구

차례

1부 아름다운 마음을 담다

1.   ㅎㅎㅎ, ㅋㅋㅋ

"하하하, 호호호, 깔깔깔, 으하하하."

엄숙해야 할 순간에 갑자기 웃음보가 터진다. 다 함께 부르던 노래가 이미 끝났는데, 아다지오로 부르던 누구는 아직도 부른다. 전통적인 우리 집 가족 행사에서 노인층과 젊은 층이 함께 있어 일어나는 음악적 불협화음이다. 그러나 우리 가족에게는 가족적 화음이다. 매년, 매번 반복되는 현상이므로 설명을 조금 해야겠다.

성탄절이면 우리 가족은 함께 모여 우리만의 독특한 모임을 가진다. 오랜 관습이다. 예전엔 할아버지, 할머니부터 증손주들까지 4대가 모두 함께 모였다. 8-90대의 부모님이 계셨고, 60대의 우리 부부와 내 형제자매들, 3-40

대의 아들네 부부와 초등학교와 중학교에 다니는 손주들 틈에 한둘씩 간간이 끼어있는 2-30대의 조카들이 함께 모였으니 상상해 보라. 30명 가까이 모여 북적거렸다. 요즘에는 핵가족 시대라 직계가족만 모인다.

7시에 온 가족이 모여 촛불을 켜면 행사가 시작된다. 밝은 LED 등이 있는데 웬 촛불이냐 하겠지만, 그건 우리 집의 전통이다. 예전의 모습을 재현해 보자는 의미와 촛불이 주는 은은한 분위기가 좋아서다. 촛불 하나로는 밝지 않아 집에 있는 초란 초는 모조리 다 동원한다. 굵은 초, 가는 초, 긴 초, 네모진 초, 받침대가 있는 초, 여러 색깔의 초 등 그동안 창고 속에 숨어 있던 초들이 등장한다. 그러나 아무리 여러 개의 촛불을 밝혀도 전등 빛에 익숙한 우리에게 촛불이 어둡다는 건 어쩔 수 없다. 가독성에 문제가 생길 수밖에 없다.

촛불 준비가 끝나면, 늘 하던 대로 우리 집만의 행사가 정해진 순서에 따라 진행된다. 그것은 예수님 탄생 이야기에 해당하는 성경 본문을 한 문단씩 순서대로 배열해 놓은 것이다. 그리고 각 문단 내용에 걸맞은 노래를 다 함께 부르도록 이야기 사이사이에 넣었다. 촛불을 중심으로 모두 빙 둘러앉아 시계방향으로 돌아가면서 순서지의 한 문단씩 읽는다. 이어 읽은 내용에 맞는 노래를 함께 부른다.

컴퓨터 프린터에서 큰 글자로 뽑은 순서지를 읽는 데는 문제가 없다. 그러나 노래 부를 때는 이야기가 달라진다. 가족 구성원의 특성이 잘 나타나는 때다. 기본음이 불안한 이도 있고 성악가 수준의 실력파도 있다. 각자 자기 음감으로 소신껏 노래한다. 노인은 노인대로 독특한 쉰 음성으로, 변성기 아이들은 그들대로 기묘한 음으로 부르니 첫 음의 화음이 잘 잡히지 않는다. 음정만이 아니다. 늦고 빠른 템포 역시 일정하지 않다. 젊은이는 비바체인데 노인은 라르고다. 1절이 끝나면, 누가 들어도 문제가 무엇인지 금방 알게 된다. 노래가 똑같이 끝나질 않는 것이다. 이건 사실 그 누구의 잘못도 아니다. 그저 빠르기가 다를 뿐이니까.

그리고 이에 더해 시력과 청력의 문제도 만만치 않다. 노인들은 활자로 된 텍스트의 작은 글자를 어스름한 촛불로 읽기 힘들다. 청력 역시 젊은이와 보조 맞추기가 쉽지 않다. 게다가 마지막 절을 부를 때면 가사를 다 기억하지 못하므로 텍스트를 봐야 한다. 그런데 눈이 글자를 따라가기 힘들어 가사를 대충 얼버무리고 애매하게 발음한다. 어김없이 손주 중 한 놈이 키득거린다. 이어 또 한 놈이 헤헤헤 하면서 웃기 시작한다. 그러면 옆에 있던 마나님과 아들 부부가 큭큭 거리며 참다가 더 참지 못하고 폭발한다. "하하하, 호호호, 깔깔깔, 으하하하." 온 가족이

거룩한 종교의식 중 졸지에 웃음보가 터진다. 모두 배꼽을 잡고 한바탕 웃고 나면 눈물까지 나온다.

간신히 웃음을 참으며 예정된 행사를 마친다. 행사 후에는 순서지에 웃는 항목이 없는데 왜 웃었는지에 대해 각자 하고 싶은 말을 한다. 또 한 번 웃음바다를 이룬다. 깔깔거리며 이야기꽃을 피운다. 이렇게 온 가족의 자발적인 훗 말이 있고, 이어 민주적인 토론이 이어진다. 그러다가 이내 또 웃느라 제대로 말을 잇지 못한다. "하하하. 호호호, 깔깔깔, 으하하하." 서로 가리키며 박장대소한다. 세상 근심 걱정이 사라지는 아주 행복한 순간이다. 사실 엄숙한 종교행사 때 이렇게 웃으면 안 되는데… 하늘에 계신 높은 분께는 좀 죄송하고 민망하다. 그러나 다른 한편으로는 웃음으로 온 가족이 즐거워하는 이 시간이 나는 참 좋다. 천국이 이런 것이려니 하는 마음 때문이리라. 모르긴 몰라도 우리 가족의 이런 모습을 내려다보시는 높은 분께서도 흐뭇해하시면서 미소 지으실 것이다.

2. 불평불만을 감사하는 마음으로

한 비장애인이 밤길을 가는 시각장애인 친구에게 등불을 켜 주며 들고 가라고 한다. 친구는

"내게 등불이 무슨 소용이야?"

하고 화를 낸다. 비장애인은

"자네가 앞을 보고 가라는 게 아닐세. 다른 사람이 자네의 등불을 보고 피해 가라는 것이지."

라고 답한다. 장애인은

"난 또 그것도 모르고."

하면서 등불을 들고 길을 나선다. 길을 가다 마주 오는 이
와 부딪친다. 장애인은 등불을 치켜들며 소리친다.

"등불이 보이질 않느냐?"

상대방이 껄껄 웃으며 말한다.

"등에 불이 꺼진 것을 모르셨군."

남 탓만 하는 사람은 자신에 대해 아무것도 알지도 보지
도 못하는 사람이다. 자기의 과오에 눈 감아버리는 사람
말이다. 성경에도 소경이 소경을 인도하면 둘 다 구덩이
에 빠진다는 말이 있다. 누가 소경인가? 시각장애인이라
기보다 아무것도 보지 못해 세상일의 본질을 파악하지
못하는 사람이다. 제 탓은 모르면서 남을 탓하기만 하는
불평불만이 가득한 사람이다. 이런 사람이 다중(多衆)을
지배하면 그 사회는 재앙을 피할 수 없다.

코로나 팬데믹으로 경제활동이 위축되자 사람들은 힘들
어한다. 피로 지수가 올라가면서 남을 비판하고 원망하
는 횟수가 점점 더 늘어난다. 남이 재난의 원인이며 내 불
행의 원천이라고 목청을 돋운다. 잘잘못을 따진다. 원래
그렇다. 예리한 비판은 짜릿하고 질타는 통쾌한 거다. 불

평과 원망은 악마의 정원에 피는 꽃이라고 했던가. 외양이 화려하게 보이는 꽃은 꽃이로되, 꽃잎 너머 악마의 사술(邪術)이 도사리고 있음을 알아야 한다. 일하는 이를 격려하고 힘을 보태기는커녕 기다려주는 최소한의 예의도 갖추지 않는 사회! 걱정되는 일이지만 현실이다.

남 탓이 아니라 내 탓이라 하고, 불평불만 대신 기쁨으로, 감사함으로 대신할 순 없을까? 왜 없겠는가. 아주 오래전에, 사람들에게 인생의 참된 의미를 가르치던 두 여행자가 중동의 한 지역을 여행할 때 일이다. 그 지역에서 점을 쳐서 생계를 유지하던 사람들이 있었다. 그들은 두 여행자의 가르침 때문에 자신들의 생업이 지장 받는다고 이 여행자들을 관가에 고발한다. 애매한 이유로 붙잡힌 이들은 심한 매를 맞고 감옥에 갇혔다. 발에 쇠고랑까지 찼다. 억울할 뿐 아니라 지나치게 심한 처우였다. 자신들이 처한 상황이 좋지 않음에도, 여행자들은 불평불만 한마디 없이, 오히려 인생을 노래하며 당당하게 할 말을 했다고 한다. 조금만 관점을 돌려보면 이런 이야기는 참 많다.

어떤 이는 장미에 가시가 있다고 불평하나, 어떤 이는 가시 속에 장미가 있음을 감사한다. 어두울수록 빛이 되고 어려울수록 힘 되는 것이 기뻐하고 감사하는 생활이다. 대안 없는 비판과 원망은 하지 않는 것이 우리가 갖추어야 할 덕목임을 알아야 한다. 사람 사는 이치가 그러하다. 공동체도 그렇다. 튼튼할 때도 있으나 아플 때도 있다. 마치 몸과 같아서 지체 중 하나만 아파도 전체가 중병에 시달린다. 내가 보지 못해 생기는 불평과 원망일지라도 그것은 모두를 불행으로 인도하기 쉽다. 우리에게 연약하고 예민한 부분이 있기 때문이다.

감사하는 마음에 절망의 씨가 자랄 수 없다. "나의 약점으로 인해 나는 … 감사합니다. 이것을 통해 나를 알았고 나에게 주어진 일도 알게 되었을 뿐만 아니라 내가 섬겨야 할 분을 발견했기 때문입니다." 날 때부터 온갖 장애를 가지고 태어난 헬렌 켈러의 말이다. 감사는 정신적 건강의 징표일 뿐 아니라 모든 덕행의 어머니다. 감사를 모르는 사람은 늘 찡그리지만, 감사할 줄 아는 사람은 웃음이 가득하고 주어진 행복을 기뻐한다. 그러므로 감사는 축복을 두 번 즐기는 것이다. 받을 때 한 번, 회상하며 또 한 번.

나의 허물을 가슴으로 뉘우치며 아파할 때 우리는 마음속의 평정심을 경험한다. 그리고 남의 허물을 나의 옷자락으로 덮을 때 은덕(隱德)은 뫼처럼 솟는다. 감사함으로 어두운 날 등불이 되어 세상을 환히 비춰보자.

3. 마스크의 여인

내게는 중동 여인들이 눈만 내놓고 온 얼굴을 가리는 것이 좋아 보이지 않았다. 우선 그들이 걸친 부르카라는 검은 옷이 마음에 들지 않았다. 여인다운 체형을 일부러 감춘 모습이 자연스럽지 않은 것이다. 그런 복장은 또 후진성이나 고지식한 법을 상기하게 하는 이미지를 내게 준다. 내 무의식 속에 그런 이미지가 처음부터 있었나 보다.

그런데 코로나 팬데믹 이후 변한 것이 있다. 마스크 착용이 익숙해서 그런지, 검은 마스크 이미지와 부르카 이미지가 겹치지 않는다. 관점이 좀 달라졌다. 이제는 오히려 검은 마스크를 쓴 여인이 아름답게 보인다. 요즘 젊은 여성들은 누가 봐도 눈이 크고 동그란데 마스크로 가린 얼굴에 큰 눈매까지 아름다우면 그 자체로서 예술이다. 게

다가 요즘은 마스크를 미적 표현의 도구로도 쓰니, 이를 활용한 여인은 훨씬 더 아름답게 보인다.

나는 젊었을 때나 지금이나 예쁜 여인이 지나간다고 하여 뒤돌아본 적 없다. 그런데 요즘은 지나쳐 가는 여인을 자주 뒤돌아보는 나 자신을 발견하면서 깜짝 놀라곤 한다. 누구를 보았길래… 마스크를 쓴 아름다운 여인을 보아서다. 꼭 젊은 여인만 아름다운 것은 아니다. 마스크 쓴 눈망울이 반짝이는 여인은 모두 아름답게 보인다. 여러 사람을 관찰해 봤다. 모두가 그렇지는 않지만 아리따운 여인의 눈썹은 대체로 직선이다. 또는 눈꼬리 쪽 눈썹이 위로 조금 올라가다 끝에서 아래쪽으로 약간 꼬부라진다. 원래 그런 눈썹도 많고, 여성들은 그렇게 그리기도 한다. (참고로 남자들의 눈썹은 대체로 역 U자형인 엎어진 초승달 스타일이 많다).

중동 여인도 마찬가지지만 한국 여인이 검은 머리에 검은 마스크를 하고, 마스크 위로 눈썹이 예쁜 두 눈으로 그윽하게 바라보는 눈매는 정말 아름답다. 입과 코를 가리고 초롱초롱하게 빛나는 눈은 가히 예술적이다. 그 순간 나는 다시 한번 뒤돌아보곤 한다. 아름다운 여인의 모습을 금방 머리에서 지우기는 아까우니까.

이러다 마스크를 벗는 날이 오면 반짝거리던 여인의 눈이 평범한 얼굴의 한 부분으로 돌아가 덜 아름답게 보일지 걱정된다. 무슨 이유를 대서라도 여성들이 마스크는 꼭 쓰고 다니도록 권하고 싶은 심정이다. 같은 사람인데 마스크를 쓴 모습과 벗은 모습의 차이는 어디서 오는 것일까? 코보다 눈을 더 중시하는 내 편견 때문일 수도 있겠다. 아니 그보다는 약간 가리는 것이 더 아름답다는 느낌 때문이리라. 감춘 것 없이 모든 게 다 적나라하면 아름다움은 사라진다는 말이 있으니까. 그러나 또 한편으로는 이렇게도 생각해 본다. 마스크를 쓰면 얼굴 대부분이 가려지니 화장할 필요가 없다. 다만 보이는 건 두 눈뿐이라 눈 화장에 온갖 정성을 다할 수밖에…

어쨌든 눈과 눈썹과 이마가 어울리며 지긋이 쳐다보는 마스크를 쓴 여인의 반짝이는 눈빛은 사람의 마음을 사로 잡는다. 마스크를 써서 예뻐진 사람을 '마기꾼'이라 한다는데, 오래 기억하고 싶은 모습이다. 마스크를 쓴 아름다운 여인의 눈을 보면서 '코로나가 별의별 변화를 다 가져오네.' 하고 느낄 때가 한두 번이 아니다.

4. 춤추는 아이들

건널목마다 전신주나 통신주에 설치된 빨강 파랑 노랑 색색의 조명등이 돌아가며 바닥을 비춘다. 내가 사는 동네의 시장을 잘 뽑아서일 거다. 웬만한 길 건널목엔 항상 이런 조명 때문에 밤에도 대낮처럼 밝다. 그중 특히 밝은 곳은 지름 1m 정도의 원형 공간이다.

어느 날인가 밤에 사거리에서 신호를 기다리는데 길 건너 조명 빛 아래에서 갖가지 색깔의 옷을 입은 예쁜 두 아바타가 춤을 추고 있다. '오늘이 무슨 날인가? 특별한 날이 아닌데, 누군가가 홍보하려고 만든 메타버스인가 보다.' 하고 귀엽게 춤추는 모습을 멀리서 지켜보았다. 메타버스란 현실 세계와 같은 사회, 경제, 문화 활동이 이루어지는 3차원 가상세계를 일컫는 말이다.

그런데 길을 건너고 보니 좀 이상하다. 주위에 아무것도 없고 두 아이가 조명등 아래서 깡충깡충 뛰면서 춤을 추고 있다. 3살 정도 전후의 남매. 곁에는 아버지인 듯한 이가 아이들을 지켜보고 있다. 그 외에는 아무도 없다. "어~ 어라~." 이건 가상세계의 아바타가 아니라, 색색의 빛을 내는 조명등 아래에서 이리저리 뛰고 있는 꼬맹이들이다. 조명등에 신이 난 꼬마들이 깡충깡충 뛰는 모습을 가상현실로 오인한 것이다. 뛰는 그 모습을 길 건너편에서 본 나는 그들이 마치 어떤 메시지를 담은 예쁜 아바타가 춤추는 모습으로 착각한 것이다. 이런 착각을 건널목 신호가 변할 때까지 했다. 헛웃음이 나왔다. 요즘에는 여기저기서 메타버스를 자주 언급하니까 그 비슷한 광경만 봐도 가상현실로 착각한다.

어쨌든 춤추는 아이들이 귀여워 나는 한참이나 쳐다보았다. 실은 아이들이 춤췄다기보다 신이 나서 막 뛴 것이지만 정말 아름다운 모습이었다. 비록 잠시 착각했으나, 이런 황홀한 경험을 하게 해준 시 당국에 감사할 수밖에 없겠다. 신호가 바뀌자 곁에 있던 아빠가 "가자." 하고 춤추는 아이들을 데리고 길을 건넌다. 아이들이 춤추기를 그치고 아빠 손을 잡고 따라간다. 잠시나마 나는 가상과 현실을 오락가락했다. 메타버스 쇼가 아니었네. 현실 세계로 돌아오니 그들은 아직 길을 건너고 있다.

건널목 대기선 앞에서는 여전히 빨강, 파랑, 노랑 빛을 순차적으로 발하는 조명등이 둥근 원을 그리며 환한 빛을 바닥에 뱉어내고 있다. 빙빙 돌아가면서 "안전하게 건너가세요." "오늘보다 더 나은 내일을 기다립니다." "아이들은 우리의 꿈과 희망" 등의 구호를 총천연색으로 바꾸면서 말이다. 우리 동네 곳곳에서 쉽게 볼 수 있는 야간 조명등, 보조등이 쏟아내는 공익 홍보 문구다. 누구의 아이디어인지 괜찮다. 수면에 방해가 된다는 주장도 있으나, 그런 항의는 야간 보행의 안전이라는 대명제에 밀릴 뿐이다. 가끔 이런 환상과 경험을 갖게 하는 우리 동네, 살만한 동네다.

5.   외면도 좋지만, 내면의 소리를

사람은 외면(外面)도 가꾸어야 하고, 내면(內面)도 가꾸어야 한다. 나는 외면과 내면을 균형 있게 잘 조화시켜 사는 것이 좋겠다고 느끼는 사람이다. 그러나 조금은 내면 쪽으로 편향돼 있음을 숨기지 않는다. 그런 느낌은 아마도 내가 아리스토텔레스나 플라톤을 공부하면서 깊이 사색하다 보니 생긴 것 같다. 그러나 내가 여기서 아리스토텔레스나 플라톤처럼 유명한 철학자들을 운운한다 해서 그들의 철학을 깊이 설명하려는 의도는 없다. 다만 그들의 사색으로부터 요긴한 부분을 택해 내가 표현하려는 생각에 적용하려는 것뿐이다. 그러므로 독자들은 내가 철학 운운할 때 철학자의 어려운 내용이거니 하고 지레 겁먹을 필요가 없다. 쉽게 설명하련다. 약간의 왜곡 정도가 있을 수는 있다. 그래도 전체 흐름이 어긋나진 않는다. 그러니 쉽게 생각하자. 생각을 합리적으로만 정리해 나갈 수 있다면 그것을 철학이라고 해도 틀리지는 않으니까.

외면은 보이는 것을 말한다. 잘생긴 얼굴에, 공부 잘해 일류학교에 가고, 반듯한 직장에서 괜찮은 지위가 있고 더하여 집과 재력까지 있으면, 외면을 잘 갖추었다고들 말한다. 외면의 일차적인 뜻이라 할 수 있다. 그런데 일차적인 외면 차원에만 머문다면 그 나중은 어떻게 될까? 많은 경우 바람직하지 않게 된다. 돈 버는 일을 한번 생각해 보자. 열심히 일해서 재력 쌓는 걸 나쁘다 할 수는 없지만, 돈이 목표가 되기 쉽다. 이재에만 집중하면 마음 바꾸기가 쉽지 않다. 돈이 무엇인지, 그것은 많은 문제를 일으킨다. 협력하던 파트너와 틈이 생겨 결별하거나 적이 되는 경우도 다반사다. 살기 위해서는 돈을 벌어야 한다는 명분으로 싸우게 된다. 가족도 예외가 아니다. 형제가 서로 더 갖겠다고 싸우며 법정 다툼까지 한다. 심지어는 형제의 어머니를 법정 증인으로 세운다. 이쯤 되면 망조다. 많이 듣던 이야기인데, 금수저 출신의 부자들로부터 들었나?

부자들만 그런가? 법조인도 그렇다. 판검사가 초임 때에는 국가와 사회를 위한다는 명분과 포부로 법대로 하려고 애쓴다. 정의를 구현하려고 불철주야 노력하는 것은 많은 사람이 다 안다. 그러나 판검사 생활 10년~ 20년이 되다 보면 소위 말하는 요령(?)이 생기는 것 같다. 물론 그렇지 않은 소수의 무리가 있긴 있다. 하지만 우리가 알기로 자신의 출세에 도움이 되는 쪽을 택하는 것을 봐서는, 좋은 게 좋다는 쪽이 많다. 자연히 공정한 잣대로 판단하거나 진실을 규명하려는 노력보다는 그저 법 조항에만 맞도록 하려 한다. 편의주의적 매너리즘에서 헤어나지 못한다는 느낌이다. 때로는 자녀의 학폭 일탈을 알면서도 자신의 법률 지식을 활용해 상대 피해자는 아랑곳하지 않고 끝까지 법정 다툼을 계속하기도 한다. 상대 피해자는 좌절감으로 어쩔 줄 모르는데… 사회 공분이 생기지 않을 수 없다. 외면만, 외양만, 하다 보니 이렇게 되었다. 이게 외면의 한계다. 시작은 참 그럴듯하고 좋은데, 나중이 이 모양이니. 에~이.

그런데 자세히 살펴보면 외면을 갖춘다는 말은 위에서 열거한 일차적인 면보다 다른 사람에게 얼마나 봉사하는가가 더 깊은 뜻이라 할 수 있다. 어려운 이웃을 돕고, 남을 위해 사는 모습에 큰 방점이 있는 것이다. 그러므로 외면을 잘 갖춘다는 말에는 긍정적인 의미도 있다. 출세하여 재력도 갖고 당당하게 살면서도, 다른 사람을 도우며 의미 있는 일에 적극 참여하면서 산다면, 그 인생은 보람찰 것이다. 이렇다면 사람이 외면을 가꾸는 것은 그리 나쁘지 않다. 그렇다고 사회적인 당당함이 가장 바람직하고 보람찬 일일까? 무엇인지 핵심을 놓친 듯한 느낌이 든다. 왜 그런지 좀 더 살펴보자. 관점을 바꿔서, 외면의 사회적인 측면보다 내면의 심리적인 측면을 보면 어떨까? 외면 대신 내면을 가꾸는 것은 꿈을 가슴에 품고 키워가는 것을 말한다. 외면으로는 보이지 않는 것을 마음속 깊은 곳에서 먼 앞을 내다보고 다지는 것이다.

윌리엄 그레이라는 탐험가가 있었다. 그는 알프스의 한 빙하 동굴을 탐방하였다. 단단한 얼음 사이로 난 통로를 지나 동굴로 들어섰다. 으스스한 터널을 따라 점점 더 깊이 내려가자, 가늘게 들던 햇빛도 점점 옅어졌다. 터널 끝 좁디좁은 공간으로 들어갔을 때, 하필 그때 플래시의 불이 꺼졌다. 앞을 분간할 수조차 없었다. 불빛 없는 그곳은 칠흑 같은 어둠, 암흑 그 자체였다. 아무것도 보이지 않았다. 공포심이 몰려오기 시작한다. 당황해할 때 어둠을 뚫고 한 줄기 빛처럼 내면의 소리가 들려온다. '기다려라. 만물을 밝히 보게 될 것이다.' 이 터널 속에 별이라도 뜬단 말인가. 이 깊은 어둠의 막장에 해가 솟을 수 있는가. 두려웠지만 그는 미동도 하지 않고 가만히 기다렸다. 시간이 흐른다.

얼마나 지났을까 그런데 놀랍다. 밝아진 것이다. 이 깊은 동굴 안에, 해도, 별도 없는데 어떻게 밝아졌을까. 처음엔 낯선 환경인 깊은 동굴에서 아무것도 볼 수 없었다. 그러나 기다렸다. 흑암 속에서 눈이 점점 밝아지면서 앞이 보인다. 이제는 볼 수 있다. 동굴의 벽이 진한 초록으로 희미하게 빛을 뿜는 것이 보인다. 천장은 반투명의 영롱한 자태를 뿜낸다. 부드러우며 신선한 빛이 감싸 안은 동굴 속 세상은 아름답기 그지없다. 그건 외부에서 비치는 빛이 아니었다. 윌리엄은 내면의 빛을 그렇게 표현했다.

내면의 빛이라는 말은 속마음에서 무엇인가를 찾는 것이다. 마음속에 아름다운 미래를 품고 꿈꾸는 사람이래야 내면을 제대로 볼 수 있다. 사람의 위대함은 흑암 속일지라도 빛이 있는 꿈을 꾸는 데 있다. 크고 좋은 꿈에서부터 큰 인물이 탄생한다. 거기서 굳건한 신념도 생기고, 아름다운 삶을 설계할 수 있고 이웃에게 봉사할 수 있기 때문이다. 그렇기에 내면의 아름답고 원대한 꿈은 좋은 것이고, 그 꿈이 이루어져 얻는 열매는 정말 바람직한 것이다. 그렇다면 꿈을 꾸자. 내면의 꿈을 꾸도록 하자. 내면의 꿈이 크면 큰 만큼 그 꿈이 이루어질 때 광채를 뿜겠지. 그리고 꿈을 꾸면 이제 이루겠다는 믿음을 갖자. 믿는 대로 하면 이미 이루어진 것이나 다름없으니까.

나는 아리스토텔레스의 생각과 플라톤의 생각을 함께 공유하는 것이 좋다고 느끼는 사람이지만, 약간은 플라톤

쪽으로 기울어 있다고 앞서 말한 바 있다. 그것은 내가 공학도였다가 나중에 철학자가 된 데서 비롯된 것이다. 공학도는 철저하게 실험을 거쳐 증명된 것이나 검증을 통해 확인된 경험을 바탕으로 진리에 접근한다. 아리스토텔레스의 생각에 가깝다. 그러나 철학자는 경험적(經驗的)인 측면보다 선험적(先驗的)인 측면을 더 중요시하는 경우도 있다. 증명할 수 없어도 내면의 소리를 들을 수 있는 것이다. 플라톤의 생각에 가깝다.

내가 아리스토텔레스의 경험칙보다 플라톤의 선험 형태를 조금 더 선호하는 더 분명한 이유가 있다. 그것은 외면의 부작용을 줄이며 내면의 꿈을 키울 수 있다고 믿기 때문이다. 물론 그렇다고 경험적인 측면을 무시하면서 선험적인 것만 추구한다는 말은 아니다. 외면도 좋지만, 내면을 더 가꾸어 보자는 얘기다.

6.   도나텔로의 '막달라 마리아'

나는 역설적 전개와 반전의 묘미에 매우 열광한다. 그래서 탐정 소설을 좋아한다. 스릴 있고 반전이 있기 때문이다. 괴도 아르센 루팡이나 탐정 셜록 홈스의 활약상을 그린 소설, 또는 아가사 크리스티의 추리소설, 댄 브라운의 '다빈치 코드'를 비롯한 여러 유명했던 소설들이 재미있는 이유다. 역설과 반전은 전하려는 내용의 의미를 풍부하게 해 준다. 그것은 마치 예수님이 비유로 말씀하셔서 더 풍부한 내용을 전하는 것과 같다.

15세기 르네상스 초기에 뛰어난 조각가 도나텔로 (Donatello, 1386-1466)가 제작한 것으로 피렌체 두오모 오페라 박물관에 소장돼 있는 '막달라 마리아'라는 조각 작품이 있다. 나는 이 작품을 볼 때마다 큰 감명을 받는다.

그래서 조각이 있는 곳을 직접 찾아가기도 했다. 추(醜)를 통해 미(美)를 보여주는 멋있는 조각으로 반전을 보여주는 작품이다. 도나텔로는 이 조각에서 귀도 레니가 그린 '막달라 마리아'에서 처럼 아름답고 화려했었을 한 여인을, 처참한 몰골로 형상화하면서 역설적 진리를 말한다. 그는 막달라 마리아를 늙고 볼품없는 노파의 모습으로 조각했다.

성경에 보면 막달라 마리아는 귀신 들렸다가 예수님으로부터 고침을 받은 여인으로만 기록되어 있다. 그런데 이 이야기가 전승되는 과정에서 죄 많은 창녀 이미지가 더해졌다. 마리아로서는 좀 억울하겠지만 이야기 자체는 훨씬 더 드라마틱하게 펼쳐진다. 조각 작품에서는 황금빛으로 찰랑거리는 아름다운 머리카락을 볼 수 없다. 오히려 퀭한 눈과 온몸을 휘감은 그녀의 머리카락은 바짝 마른 나무뿌리처럼 메말라 있다. 허무함과 쓸쓸함이 배인 모습이다. 인생의 즐거움을 쫓아 분주하게 움직였을 법한 발은 거친 맨발로 드러나 있다. 걸친 옷은 걸레 조각을 연상케 하는 누더기 모습이다.

막달라 마리아를 노파로 만든 도나텔로의 작품을 감상하려면, 우선 그 조각이 놓인 위치와 마리아가 응시하고 있는 시선을 따라가야 한다. 마리아가 두 손을 모으고 지긋이 응시하는 앞쪽을 말이다. 거기엔 예수상이 있다. 이 구도에 암시가 있다. 핵심은 마리아의 온몸을 뒤덮고 있는 머리카락이나 옷이 아니라, 지나온 삶에 대한 회한과 희망이다. 비록 늙고 처참한 몰골이지만 마리아는 두 손을 모은다. 세상을 농락하던 이전의 손이 아니다. 자신의 죄를 참회하며 새로운 삶으로 거듭나기 위한 고통과 거듭남의 손이다.

늙은 마리아가 두 손을 모으고 예수님을 바라보는 이 구도! 참 아이러니하다. 보기엔 추한 모습이지만, 영원한 생명을 찾는 모습으로 아름다운 대미를 장식한다. 이것이 도나텔로가 말하려는 것이리라. 전승된 역사에 의하면 늙고 볼품없는 모습으로 표현된, 상처 많고 아픔을 간직한 이 여인이 막달라 마리아다. 이 마리아에게 예수님은 부활의 첫 소식을 알려주셨다. 남성 열두 제자도 아닌 이 마리아에게 말이다.

도나텔로는 이 조각상에서 마리아의 인간적인 아픈 마음을 쭈굴쭈굴한 노파의 모습으로 투영한다. 그리고 예수님을 바라보게 한다. 늙은 마리아가 예수님을 향해 두 손 모으는 것처럼, 우리의 지향하는 눈길도 생명을 주는 그분을 향하게 한다. 그렇다. 외모로 보이는 것이 아니라 속마음이 어떠냐가 중요한 것이다. 육체의 힘이 기운 뒤에야 비로소 영혼이 제자리를 찾는다는 역설이 이 조각상에 진솔하게 표현되어 있지 아니한가. 역설과 반전의 묘미가 돋보인다. 도나텔로 자신도 진리에 다가가려고 막달라 마리아를 추하고 늙은 노파로 그렸으리라.

2부

주변을 살피며 오늘을 산다

1. 별이 된 김병훈 교수를 그리며

예전엔 부고를 받으면 보통은 친구의 아버지나 어머니의 부고였다. 거의 그랬다. 그런데 언제부터인가 나는 내가 아는 친구의 부고장을 종종 받는다. 최근에 많아졌다. 친구 부모들의 부고를 받을 때는 내가 세상의 주역이었던 때였다. 그런데 은퇴 후의 나에겐 친구 부모가 아니라 친구가 하늘나라로 떠난다. 뭐라고 할까 슬프다기보다는 허무하다는 느낌이 든다. 부모 부고 때는 경조비 생각이 앞섰지만, 친구의 부고는 인생을 되돌아보게 한다.

오늘 오후에 내 사랑하는 후배 교수가 응급실로 들어갔는데 위급하다는 다급한 전화를 받았다. 그는 당뇨로 고생해 왔다. 며칠 전에 이가 빠져 진료를 받았는데 그때 세균이 침투해 온몸에 퍼졌다고 한다. 아침에 너무 피곤하여 링거 주사나 한 대 맞으려고 충무 병원에 갔다가 위중하다 해서 응급실로 옮겼고, 이어 중환자실로 갔다고 한다. 나는 하던 일을 급히 마무리하고 병원에 가려는데 또 전화가 왔다. 이미 숨을 거두었다는 것이다. 허망했다. 나는 동료 교수들과 교목실장에게 급히 알렸다. 우리 집사람도 허겁지겁 뛰어갔다. 이미 교목실장이 도착하여 고인의 임종을 지켰다. 두세 시간 후에 빈소인 〈천안 하늘 공원 장례식장〉으로 가서 잠시 마음을 추스르며 옛 기억을 더듬어 본다.

김병훈 교수가 처음 우리 대학 신학과에 지원했던 때다. 최종적으로 세 사람의 후보자가 선정되었다. 당시 교목실장이던 나와 이상직 교무처장은 고민할 수밖에 없었다. 후보자들은 모두 실력이 출중하고 영어 구사 능력도 탁월했다. 고민하던 끝에 서용원 대학원장의 의견을 받아들여 김병훈 박사를 전임교수로 뽑게 됐다. 이유는 교무처장과 내가 같은 공동체 소속이어서 오해를 피한다는 이유 아닌 이유였다. 정말 사람의 인생은 모르는 일이다. 나비효과와 같은 이런 사소한 이유가 원인이 돼 한 사람의 인생길이 달라지기도 하니까.

그는 교수 생활을 하는 동안 많은 사람과 부딪쳤다. 그건 그의 잘못이라기보다는 그의 독특한 성격 때문이었다.

남과 함께 일한다거나 협조하는 것보다 스스로 책임지고 혼자 일하기를 즐겨 했다. 심리와 상담을 전공한 신학자 치고는 정말 특이한 성격의 소유자였다. 그래도 그는 유머를 잃지 않았고 제자들을 무척 사랑했다. 독불장군이라는 말을 들어도 못 들은 체 그저 자기 할 일만 꿋꿋하게 해나갔다. 그런 그를 두고 동료들이 '심리학자가 자기의 심리는 모른다'는 말을 했던 기억이 난다.

빈소에서 문상하는 동안 마음이 착잡했다. 후배가 먼저 하늘나라로 가다니 그저 황망할 뿐이다. 나보다 한참 후배인데 무엇이 급해 그리 빨리 가노? 하나님의 섭리를 우리가 다 알 수는 없으나, 아까운 인물이 너무 일찍 부름을 받았다. 나는 그가 나이 들면서 점점 더 부드러워져 감을 느끼고 있었는데, 젊었을 때부터 그랬다면 얼마나 좋았을까? 최근에 자주 만나지 못한 것이 아쉬움으로 남는다.

그에겐 자식이 둘이 있는데 큰 녀석은 딸이고 작은 녀석이 아들이다. 각각 싱가포르와 미국에 산다. 자녀들이 상주라 들어와야 하지만 당시 코로나 사태가 심각해 항공편도 쉽지 않고 귀국한다 해도 2주 격리된다고 한다. 서둘러 들어와 봤자 3일장이 이미 끝났을 테니 아마 이 녀석들 황당할 것이다. 고인의 형들도 나이가 많은 데다가 당뇨가 심해 병원에 입원해 있단다. 올 처지가 못 된다.

서울에 거주하는 부인도 이곳 천안에는 친한 친구나 아는 사람이 거의 없다니, 이거 참, 인생무상이요, 삶의 회의다. 빈소에 상주가 없으니 부인 혼자 있기가 민망한 것 같아 같은 과 교수들이 돌아가면서 상주역을 대신했다. 시간마다 문상객을 받고, 임종, 발인, 입관 등에 돌아가면서 참여했다. 화장장은 물론이고, 장지까지 따라가 고인의 마지막을 잘 보살폈다. 그렇게 할 수밖에 없었다. 아무튼 동료 교수 만세다.

후배 교수가 이렇게 훌쩍 떠나니 정말 허한 심정 금할 길 없구나. 몇 년만 더 살았어도 좋았을 것을. 그러나 정열적인 삶을 살았던 그대가 이렇게 별이 된 것이 주님의 뜻일진대 내가 어쩌겠나. 성경의 인물인 히스기야가 기도해서 자기 생명을 15년 연장한 것 외에는 내가 생명 연장에 대해 아는 바 없음을 깨달을 뿐이니 그러려니 해야지. "진실로 생명의 원천이 주께 있사온즉…"(시편 36:9). 김병훈 교수! 그대의 환한 웃음 다시 보고 싶으이. 사랑하는 친구여, 잘 가시게. 이제는 주 안에서 편히 쉴 때야.

2020. 5. 26. 저녁에
별이 된 후배를 아쉬워하며…
자격 없는 선배가

2. 늙음의 참뜻은

내가 출근했던 에이스텍 사무실 위층에 '호랑이 태권도'라는 도장이 있다. 늘 초등학교 저학년 아이들로 와글와글한 곳이다. 퇴근 무렵 내가 사무실 문을 나가면 아이들 기합 소리가 '얏! 얍!' 하고 크게 들린다. 이곳에 드나드는 아이들 하나하나 살펴보면 언제나 즐거운 모습이 얼굴에 가득하다. 태권도장의 서비스가 아이들에게 잘 맞나 보다. 부모들도 아이와 함께 오가면서 늘 싱글벙글한다. 만족한다는 뜻일 것이다. 태권도장 대부분이 그렇겠지만 이곳 아이들도 아주 씩씩하고 예의 바르다. 엘리베이터에서 어른만 보면 꾸벅 인사한다. 그 모습이 얼마나 귀여운지 그냥 꼬~옥 안아주고 싶은 심정이다. 즐거워하고 예의 바른 이 아이들을 보니 지도하는 사범의 사람됨도 알 듯하다. 그 선생에 그 학생일 테니까. 실제로 이 호랑이 태권도장의 사범들은 아주 싹싹하고 시원시원한 젊은 청년들이다.

이 사범들 중 한 사람이 엘리베이터 벽에 대자보(?)를 붙여 놓았다. 이 건물을 이용하는 사람 중 대자보 내용을 보고 누구 하나 불만 없고 기분 나빠하지도 않는다. 오랫동안 붙어 있어도 아무도 대자보를 철거하지 않을 뿐 아니라 오히려 잘 붙어 있으라고 보수까지 해 놓는다. 나도 이 글귀를 볼 때마다 '아! 바로 내가 하고 싶은 말이야.'하고 여러 번 감탄했다. 거기엔 이렇게 쓰여있다.

나이가 들어서 늙는 것이 아니라
아이들처럼 엉뚱한 발상과
도전하는 용기와
순수함이 사라지면
그때 비로소 늙어가는 것이다.

나이 든 사람이나 이런 말을 할 줄 알았는데, 젊은 청년이 순수한 어린아이들을 가르치면서 하는 말이라니, 내 생각이 너무도 좁았음을 깨닫게 되었다. 정말 그렇다. 청소년의 기개가 사라질 때, 무엇인가 해 보겠다는 마음이 없을 때, 소신 없이 현실에만 편안하게 안주하려 할 때, 자연히 따라오는 것이 '늙는다.'는 동사다.

나이 들면서 주변을 살피지 않고 이런저런 추한 모습을 보이는 노인들이 있다. 이웃과의 소통엔 관심 없는 고집불통인 영감, 또는 시대 흐름과 소통하지 못하고 고루한 생각에서 빠져나오지 못하는 노인네, 정당하지 않은 이익만 추구하는 늙은이, 이런 사람을 노추(老醜)라 부른다. 아무도 그를 환영하지 않는다. 오히려 피한다.

노인일 때야말로 의미 있는 삶을 즐길 수 있는 때다. 황홀한 인생의 석양을 관조할 수 있지 않은가! 양적 계량으로 인생의 남은 시간을 계수 할 게 아니라, 질적 고양을 통해 삶의 보람과 즐거움을 찾는 것이 바람직하다. 조급하게 그저 흘러가는 크로노스(Chronos) 시간에 매이지 않고 의미 있는 카이로스(Kairos) 시간이라는 발상으로 사는 삶이 멋있게 늙는 것이다. 그러므로 사람은 나이가 들수록 참신한 발상에 귀 기울여야 한다. 도전하는 용기와 순수함을 가져야 한다. 어린이처럼 말이다.

3. 묻지 말아야 할 신의 영역?

코로나 사태 이후, 코로나 이전 같은 세상은 다시 오지 않는다는 암울한 보고가 사람들의 걱정을 샀다. 어떤 예방약보다 사람을 만나지 않는 것이 가장 좋은 예방책이라고 한다. 거의 강제에 가까운 사회적 거리 두기로 사람 기피가 만연하니 우울하고 착잡할 뿐이다. 잘못된 보고이기를 바란다. 잠시라면 몰라도 계속 그렇게 살아야 한다면, 그래서 사람 만나는 일이 눈치 보여 조심스러워진다면, 그것이 과연 살만한 인생이겠는가? 이전 세상으로 돌아갈 수 없다는 말이 정말 현실로 정착될까 걱정이다. 그래서 우울한 마음에서 벗어나려고 상상의 세계로 산책하려고 한다. 코로나 바이러스가 제아무리 설쳐도 내겐 상상하는 자유가 있으니까.

생로병사(生老病死)는 우리에게 영원한 수수께끼요, 풀리지 않은 주제다. 철학자는 철학자대로, 종교인은 종교인대로, 과학자는 과학자대로 각각의 분야에서 탐구하지만 시원한 해답은 없다. 나고 늙고 죽는 것은 우리로서는 어쩔 수 없다 치자. 그런데 아픈 것은 생각할 여지가 있다. 우리가 어느 정도 조절할 수 있으니까 말이다. 사람에게 죽음은 자연스러운 것이지만, 병으로 앓다 세상을 떠나는 사람을 보면 딱하다. 죽기 직전에 약해진 몸으로 매우 괴로워하기 때문이다. 그 누구도 언제까지 살 수 있을지 그 남은 날 수를 알 수 없다.

사람이 젊을 때는 건강하고 활기차게 살지만, 늙으면 체력이 달리고 아파 이러지도 저러지도 못하고 쩔쩔맨다. 병마에 시달리며 고생하는 모습에서 나는 생각하고 또 생각해 본다. 반대로는 안 될까? '늙어서 아플 일을 젊을 때 대신 아플 수 있을까?'하고 말이다. 젊을 때는 강건한 체력이 있으니 젊을 때 장차 늙어서 아플 것을 미리 다 앞당겨 아프다가, 늙어서는 청년처럼 아프지 않게 산 후에 생을 마감하면 얼마나 좋을까? 전체 인생에서 고통과 행복을 골고루 분산해 젊음을 늙음으로, 늙음을 젊음으로 바꾸어 사는 삶의 모습을 상상해 본 거다. 그렇게만 된다면 참 좋겠다. 차원 다른 희로애락(喜怒哀樂)의 삶을 살 수 있겠지.

그런데 찬찬히 보면 창조주의 창조 활동이나 원칙에 어긋나는 것처럼 들린다. 아니면 물리학 이론대로 질량이 무한대를 넘어야 시간이 뒤로 갈 수 있는 것처럼, 일어날 수 없는 일이다. 분명히 인간의 범주를 벗어난다. 상상이라도 이런 상상은 이루어지면 좋겠다. 노년에 아플 것을 청년 때 미리 아파 두고, 늙어서는 젊었을 때의 열정과 활력을 누린다는 건 정말 환상적이니까. 전체 인생의 길이는 변함없으나, 젊은이가 노년의 고통과 아픔을 미리 경험해 인생을 제대로 배우면 그 인생 정말 얼마나 보람차고 값질까? 신이 막을 이유가 없을 것 같은데…

이런 상상은 자연의 이치에는 역행하겠지만, 상상하는 마음가짐만으로도 사회를 더 건강하게 바라볼 수 있을 것이다. 이루어지지 못할 상상일지라도 희망을 갖게는 하니까 말이다. 인간은 상상할 수도 있고 꿈도 꿀 수 있다. 그러나 늙을 때의 병약함을 젊을 때로 돌리고, 젊었을 때의 활력을 늙을 때로 돌리는 것은 신의 영역이다. 인간이 왈가왈부할 일은 아니다. 신의 영역이라면 묻지 말아야 한다. 그러나 엉뚱해도 이런 상상은 인간으로서는 할 만한 것이다.

4. "그렇지 ㅛ박사, 말해봐"

ㅛ 박사는 오 박사의 오탈자가 아니다. (물론 엄격히 보면 모음뿐이니 글자로는 오자요 탈자가 맞다). 국어사전에는 없지만 내 사전에는 버젓이 ㅛ 박사로 통한다. ㅛ 박사의 원래 성씨는 다리 하나가 없는 ㅗ 박사지만, 지금은 ㅛ 박사로 불린다. ㅛ 박사와 나 사이에서 통하는 고유명사다. 그와 나는 오랜 친구면서 선후배 간이다. 그는 자기주장이 강하고 타협을 잘 하지 않는 고지식한 철학자로 소문나있다. 주위에서 융통성이 없는 무뚝뚝한 사람이라고 하지만 나는 그가 소신파라고 옹호하곤 한다. 겉보기엔 답답한 것 같으나 속은 꽉 차 있다. 모름지기 학자는 그래야 한다. 그러나 가끔은 나도 그를 고집불통이라 여긴다. 작은 고집도 양보하지 않는 때가 종종 있어서다.

누구나 카톡으로 글자를 보내다가 실수로 글자가 틀릴 때가 있다. 丞 박사가 내게 문자를 보낸 후 끝자락에 '요 박사 올림' 한다. 답답한 철학자가 위트는 있는가 보다. 단어를 약간 비틀어서 내 실수로 자기 성을 잘못 표기했음을 지적한 것이다. 그 문자를 본 나는 장난기가 돋아, 언제 성씨를 개명했느냐고 하니, 내가 먼저 자기를 그렇게 불렀다는 거다. 물론 나도 질 수 없어, 그가 먼저 했다고 했고. 그는 내가 먼저 했다고 한다. 서로 먼저 하지 않았다고 두 고집이 부딪쳤다. 싸우는 건 아니고, 즐기면서 하는 말싸움이지만 어쨌든 서로 자기가 옳다고 주장한다. 丞 박사와 내가 우수꽝스러운 사소한 고집 대결을 한 이후, 내겐 그의 성씨가 이미 丞 씨로 변했다.

丞 박사와 나는 서로 누가 먼저 문자 보냈는가로 고집부리며 실랑이를 벌이다가 결국 내가 졌다. 이실직고하고 말았다. 자주 사과하다 보니 사과가 내 삶의 일부가 된 듯하다. 사과하는 워딩이 점점 더 거창해져 간다. 작은 사안에도 묵직한 어휘로 사과하곤 한다. 사실 이와 같은 일은 일상으로 일어난다. 집에서도 예외는 아니다. 내가 화장실 사용 후 불을 끄지 않고 나오면 반드시 마나님의 잔소리가 이어진다. 매번 그런다면서 습관이 어쩌고저쩌고, 전기료가 싸니 비싸니 하면서 말이다. 그런 때 나는 주저 없이 "죽을죄를 지었습니다." 하고 즉시 사과한다. 죽을

죄까지야 되겠느냐만 말이 사안보다 커지다 보니 자연스레 그런 말이 나오는 거다. 세상을 살면서 어쨌든 빨리 사과하는 것이 장땡 임을 알게 되었다. 그리고 점차 그것이 내 삶의 스타일이 되었다.

어쨌든 이 묘한 우리의 고집 대결에서 누가 먼저 실수했냐 안 했냐, 또는 누가 옳으냐 그르냐는 그리 중요한 주제가 아니다. 어떤 스타일의 사람이냐가 본질이다. 그는 무뚝뚝하고 말이 별로 없지만 확인한 후 말하는 스타일이다. 그런 ㅛ 박사가 자기주장을 강하게 말하면 내게는 그것이 왕고집으로 비친다. 그에 비해 나는 직감적으로 내가 옳다고 확신하면 말부터 먼저 뱉어 버린다. 그리고 내 잘못이라 여기면 즉시 사과한다. 다시 말하지만 한마디로 자기주장을 잘 거두지 않는 ㅛ 박사와, 잘못을 알면 즉시 사과하는 나다. 일단 주장하면 둘 다 자기주장을 양보하려 하지 않는다. 이런 고집부림에는 내가 절대로 질 수 없다고 여겨 꽥꽥 거리기는 하지만, 결국은 내가 물러나곤 한다.

ㅛ 박사는 철학자답게 논리를 추구하나, 나는 총장답게 설득력을 선호한다. 굵고 완력이 센 팔뚝을 가진 ㅛ 박사는 양복 기성복을 사면 팔을 끼기가 힘들다고 불평하곤 한다. 그러나 나는 팔뼈가 가늘어 완력도 없고, 누구처럼

양복에 팔이 껴 고생할 일이 없다. 골프 라운딩에 나가서도 그렇다. ㅛ 박사는 힘으로 골프공을 치지만 멀리 가지 못한다. 그런데 나는 공을 요령껏 쳐 그보다 거리가 더 난다. 우리는 서로 잘 친다고 늘 말로 툭탁거린다. 전술했듯이 나는 사과할 일은 빨리 사과하는 게 훨씬 더 유리하다는 것을 깨달은 사람이지만, ㅛ 박사는 그런 깨달음이 없는 사람일까? 그건 아닌 것 같다. 깨달음으로 말하자면 철학을 전공한 그는 나보다 훨씬 앞선다.

이렇게 ㅛ 박사와 나 사이에는 다름이 존재한다. 그러나 역설적으로 ㅛ 박사와 나 사이엔 같음보다 다름이 있기에 우리의 관계가 더 부드럽고 윤택해 짐을 느낀다. 다양성 속에서 다져지는 우정처럼 말이다. 내 방에 제각각 개성이 뚜렷하고 다양한 모습의 오케스트라 멤버들을 그린 신흥우 화가의 그림이 걸려 있다. 다양한 인물군이지만 하나의 오케스트라다. ㅛ 박사와 내가 달라도 한 팀인 것처럼 말이다. 이쯤에서 독자들은 눈치챘겠지만, ㅛ 박사와 나는 무슨 우열을 가린다거나 각기 다른 파를 이끄는 그런 것 때문에 툭탁거리는 것이 아님을 알 것이다. 우리 사이엔 공유하는 시대정신이 다르지 않다. 다르다면 삶의 스타일이 다를뿐. 그래도 사이가 좋은 것을 우정이라고 해야 하나? "그렇지 ㅛ 박사, 철학적으로 말해 봐." 세상사가 다 이런 건지.

5. 나? 서열, 최하위!

강아지를 키우고 있었다. 옹야옹야하며 귀엽게 키웠더니 이놈이 교만해졌다. 나는 바닥에 앉아 있는데 강아지는 소파에 얌전히 앉아 앞발에 얼굴 얹고 귀를 늘어뜨린 채, 바닥에 있는 나를 빤히 쳐다본다. 이 장면이 지금 내가 처한 서열의 위치다. 이렇게 된 건, 친구와 조잘거리며 놀던 아이들이 내 자리로 몰려와 소파에 있던 나를 바닥으로 밀어냈기 때문이다. 내가 밀렸다. 그 틈을 이용해 이놈의 강아지가 아이들 곁으로 풀쩍 올라왔다. 강아지와 함께 놀던 아이들이 무슨 게임을 하겠다고 이젠 바닥으로 내려와 논다. 자연히 강아지만 소파에 웅크리고 앉아 물끄러미 나를 쳐다보는 그런 형국이 됐다.

그런데, 여기서 뭔가 꼬였다. 소파에서 나를 내려다보는 강아지와 바닥에서 부러운 듯 강아지를 올려다보는 내 모습이 휴대폰에 찍힌 거다. 아이들은 카톡과 페이스북에 올린다고 야단이다. 말려도 막무가내다. 결국 뭘 사주기로 하고 타협했다. 가장인 내가 바닥에 앉아, 소파에서 나를 물끄러미 내려다보는 강아지를 올려다보는 이 장면이 뭔가. 내가 가장인가? 스스로 한번 곱씹어 본다. 자존심이 상했다. 우아하게 소파에 앉아서 아래로 나를 물끄러미 내려다보는 강아지를 '이런 고얀 놈' 하고 베개로 냅다 후려치니 깽깽거리며 도망간다. 그러다 꿈이 깼다. 허어~.

사람들은 서열 최하위를 좋아하지 않는다. 오히려 서열 최상위를 쟁취하려고 박 터지게 싸운다. 별 짓 다 해가며 권모술수를 써 상대를 헐뜯고 거짓말과 모함을 거침없이 한다. 그렇게 해서 최상위가 된다. 과연 행복할까? 욕망을 채웠으니 잠시 만족할 수는 있겠다. 문제는 점점 더 큰 욕망이 자란다는 점이다. 행복은커녕 긴장과 스트레스만 쌓여간다. 결국 화를 자초해 상처뿐인 영광으로 결말나곤 한다. 이건 바람직하지 않다. 왜 사람들은 그렇게도 서열 최상위를 차지하려 애쓸까? 참 희한한 일이다.

서열 최하위라도 행복하게 사는 모습도 있다. 내 친구 K는 가장이지만, 집에서는 서열 최하위란다. 내가 꿨던 꿈과 별다름 없는 생활을 하는 녀석이다. 그런데도 녀석은 최하위라도 좋다면서 웃는다. 행복하니까 그렇다나. 실제로 그의 가정은 화목하다. 가족들이 서로를 살 도닥이며 위해준다. 집안일도 나누어서 한다. 집에서는 웃음이 끊이지 않는다. 그렇다고 무조건 최하위가 돼야 한다는 말은 아니다. 내 말은, 서열이 낮아도 얼굴 찡그리고 살 일이 아니라는 거다. 마음을 바로 세워, 서열과 처지에 집착하지 않아야 행복을 누릴 수 있다.

서열 하위라도 행복하게 사는 모습과 서열 상위를 쟁취하려 별 못된 짓을 다하는 모습을 비교해 보자. 어느 쪽이 사람답게 사는 건지 삼척동자도 다 안다. 서열 하위에 처한 사람은 가진 것이 별로 없어 잃을 게 없다. 책임질 일도 없어 몸이 가볍다. 소신껏 자율적인 삶을 살 수 있다.

그런데 서열 상위를 차지한 사람은 더 올라갈 서열상의 위치가 없으므로 내려갈 것을 걱정한다. 늘 조마조마 해 하며 가진 것을 잃을까 불안해한다. 또 서열상 맡을 수밖에 없는 책임 때문에 중압감에 시달려 밤잠을 설친다.

꿈에서 깬 나는 강아지를 키우지 않고 있는 현실로 돌아온다. 서열 최하위라는 칭호와 무관함에 휴~ 하고 안도의 숨을 내뱉는다. 그렇다고 내가 서열 최상위라는 말도 아니다. 나는 서열에 집착하지도 않고 관심도 없다. 과연 나는 행복한 건가? 아닌 건가? 꿈이 꿈으로만 그치지 않고, 자꾸 꿈의 이미지가 현실로 와닿는다. 내가 하고 싶은 말은, 상위 서열에 속한다 해서 행복을 누리는 게 아니니까, 서열에 너무 집착하지 말자는 것이다. 오히려 자신의 높이를 낮춰 생각하는 것이 어떨까? 남을 지배하려는 우월한 위치보다, 남을 섬기려는 낮은 위치가 더 행복할지도 모르니까 말이다. 깊이 생각해 보자. 서열 상승을 위해 너무 집착하지 말자. 꿈에서처럼 최하위 서열에 있다고 화내지도 말자. 좌절하지도 말자. 행복은 서열순이 아니다.

6. 산적 부두목이 되었다가…

수염을 기르기로 했다. 20여 년 전에 시도했던 일이다. 당시 수염 양이 적어 두 달을 길렀건만 염소수염처럼 몇 가닥만 나왔다. 마치 간신배의 턱수염처럼 보였다. 더 기를 의지가 꺾였다. 그뿐 아니라 주위의 협박 같은 강력한 권고에 따라 두 달 만에 면도기를 들었다.

얼마 전 다시 수염을 기르기로 했다. 나이가 들어서인지 수염이 제법 났다. 일단 염소수염 모습은 벗어났다. 수북하게 났지만 관리하지 않아 제멋대로 자랐다. 삼국지에 등장하는 장비의 수염 모습이다. 덥수룩하다는 말이 맞겠다. 다만 희고 검으며 길고 짧은 털이 제멋대로라 내가 봐도 산적떼 중의 하나같은 모양새다.

평소에 알고 지내던 고위급 인사를 만나 저녁을 먹었다.
대뜸 농담 같은 대화가 오고 갔다.

"어! 산적이 나타났네."
"뭐요, 산적이요?"
"음, 그래. 마치 산적 부두목 꼴이야."
"왜 하필 부두목이요. 두목도 아니고…"
"아냐 부두목 맞아. 예로부터 산적 두목은 안경을 안 써."
"…"

할 말이 없었다. 시력 때문에 안경을 안 쓸 수는 없다. 이후 대화에서 나는 부두목으로 불렸다. 졸지에 산적 부두목이라는 새로운 별명이 생긴 것이다.

이쯤 되니 내 모습에 대해 사람들이 이러쿵저러쿵 말들이 많다. 관점에 따라 다르겠지만 남자들은 대체로 외모에 별 관심이 없다. 그러나 여성들에겐 외모가 매우 중요한가 보다. "보기 좋다. 안 좋다. 괜찮다. 이게 뭐냐?" 하는 말들이 그래서 나온다. 나는 별 관심이 없는데, 사람들은 내가 왜 수염을 기르게 되었는지를 묻는다. 계속 받을 질문이기에 이참에 이유를 만들어 둬야겠다.

우선 떠오르는 생각은 첫째로, 나는 벤처정신을 가장 우선으로 한다는 자타가 공인하는 대학의 수장이다. 벤처란 다른 사람이 하지 않는 것을 모험이라 해도 내가 먼저하는 것에 붙인 이름이다. 남이 하지 않는 수염 기르기를내가 먼저 앞장서서 해보자는 생각이다. 내 주위 친구들둘러봐도 수염 기른 녀석들이 없다. 그건 지금 내가 수염기를 타당성이 있다는 얘기다. 이것이 첫째 이유다.

둘째, 서구인들, 특히 중동 계열의 남자들을 보자. 종교적이유 때문이겠지만 그들은 하나같이 수염을 기른다. 이란이나 이태리 남자들을 보라. 잘 다듬어서 그런지 몰라도 보기에 좋다. 그 외에도 배우 숀 코네리가 기른 회백색수염이나 축구선수 메시가 기른 짧은 수염, 멋지지 않은가? 부인할 필요 없다. 내가 멋있다고 느낄 정도니 여성들에게는 더 멋져 보이겠지. 수염을 길러 잘 가꾸어 볼 마음이 생긴 것이 그 두 번째 이유다.

셋째, 현실적인 이유다. 젊었을 때는 별로 나지 않던 수염이 나이 들어서는 많아졌다. 아침마다 면도하는데, 면도기로 약하게 밀면 털이 잘 깎이질 않는다. 그렇다고 세게밀면 살갗이 약한 목 부분이 벌겋게 충혈되면서 쓰리다.매번 그렇다. 로션을 발라도 쓰린 건 어쩔 수 없다. 와이셔츠 칼라가 목에 닿아 목 따가움을 맛본 사람의 고통 누가 알랴? 고생고생하다가 눈이 번쩍 뜨이는 해결책을 찾아냈다. 이렇게 쉬운 것을 이제야 찾다니… 아예 안 깎는 거다. 이게 세 번째 이유다.

오래간만에 머리도 깎을 겸 단골 이발소에 갔다. 손님이 없어 한가하게 신문을 뒤적이던 45년 경력자인 이발소 영감이 반색하면서 맞는다. 머리카락을 군인 사병 머리처럼 2부로 깎아달라 했으나 머리털이 가늘어 절대 안 된다며 고집부리던 영감태기다. 나와는 그럭저럭 20년 지기가 됐으니 잡다한 신변 얘기를 주고받는 사이다. 이 영감 날 보더니 예쁘게 다듬어 주겠다면서 가위를 든다. 그의 수염 다듬는 실력에 의심이 갔지만 다 기른 수염을 어쩌랴 싶어 얌전히 눈 감고 앉아있었다.

하! 그런데, 밥 먹을 때 콧수염이 걸리적거린다는 말도 안 되는 이유를 대면서 콧수염을 자르는 것 아닌가. 눈을 떴지만 '아뿔싸' 이미 잘렸다. 기겁해서 거울을 본 나는 두 손으로 콧수염을 막으며 "아냐 아냐." 했지만, 이 영감태기가 내 콧수염 한쪽을 가위질하고도 막무가내로 또 한쪽을 더 자를 태세다. 나는 이 영감을 잘 알기에 강력히 "아냐. 내가 할래." 하고 겨우 중지 시켰다.

영감태기는 그런 날 보고 일장 연설을 한다.

"털을 깎아도 또 나는데 무얼 걱정하슈. 머리카락은 하루에 0.4미리 자라지만 수염은 0.6미리 자라니 염려 마슈."

"아이고, 이 영감이 별걸 다 아네."

"미용사 자격증 시험 맨 처음에 나오는 문제라 잘 알아유."

이발이 끝났다. 이제 내게 남은 숙제는 이제 하나뿐이다. 수염관리인을 시급히 찾는 일이다. 산적 부두목에서 벗어나 숀 코네리처럼 수염을 기를 수 있도록 말이다.

 후기後記

수염 기른 지 다섯 달째다. 별러왔던 눈 수술도 성공적이어서 안경을 벗고 산적 부두목에서 두목으로 승진할 수 있을 때였다. 그러나 기회는 내 편이 아니었다. 오늘 아침 내키진 않으나 할 수 없이 코밑수염을 깎았다. 귀밑과 턱밑 수염도 깨끗이 면도했다. 이렇게 된 것은, 주위 여론의 세찬 공격 때문이다. 쿠데타 수준에 맞먹는 수염 기르기 반대 운동에 밀린 것이다. 하여 턱수염을 길러 가슴까지 닿게 하겠다는 미염공(美髥公)에의 꿈은 다섯 달 만에 접는다. 벤처로서의 수염 기르기도 시작은 했으나 미완으로 끝났다. 벤처가 항상 성공할 수는 없다고 나 스스로를 위로해 본다. 그러나 배운 바는 있다. 공직자에게는 수염 기를 자유(?)가 없음을 알게 된 것이다. 자연인 신분으로 돌아가면 그때 다시 시도하리라. 실패는 성공의 어머니라 했던가?

3부

고난을 딛고 일어서다

1. 성재설(誠齋說)

호(號)는 부른다는 말이다. 상고하건대, 도연명(陶淵明) 이전에는 명(名)과 자(字)만 있었지 호는 없었다. 도연명이 자신의 집 앞에 다섯 그루의 버드나무를 심고 자신을 다섯 그루의 버드나무라 일컬으면서 비로소 호라는 것이 생겼다.

그것이 관례가 되면서 저마다 호를 가졌다. 자기의 천성이나 처지를 그것으로 묘사하기도 했고, 깊이 경계하고 바로잡아야 할 뜻을 거기에 표하기도 했다. 희롱으로 부르기도 했고, 바라는 바를 엄숙히 나타내기도 하였다. 자기가 지어 가지기도 했고, 남이 지어 주기도 했다. 어느 것이든 호는 자기가 비로소 온전히 자기를 불러보는 것이어서 아버지가 지어 준 '명,' '자'와 달랐다.

호서대학교의 전 총장 강일구 박사는 아호(雅號)를 성재 (誠齋)라 한다. 그를 따르는 몇몇 사람들이 성(誠)과 재(齋) 로부터, 각각 진실함이라는 뜻과 깨끗함이라는 뜻을 찾아 그의 아호를 짓고 그 풀이를 담은 글과 함께 드렸다. 진실 함과 깨끗함 외에 무슨 말이 더 필요하겠는가 싶었는데 다가, 또 쓸 데 적은 참람한 일을 벌인다거나 공공연히 아 첨한다는 말은 왜 없겠는가 싶어 소략히 적고 말았다.

뜻이 착하고 순수하여도 그것을 나타내는 일은 쉬운 게 아니다. 참람할지도 모른다, 아첨인지도 모른다 하여 목 과 어깨가 잔뜩 움츠러들어 적었으니 글에 무슨 생기가 돌겠는가. 그래서 '성'과 '재'가 그의 덕에 마춤하다고 여 기면서도 그 까닭을 한껏 말하지는 못하였던 것이 아쉬 움으로 남았다.

진실무망(眞實无妄)함을 일컬어 성(誠)이라 한다. 진실하 다는 것은 참되다는 말이요 무망하다는 것은 함부로 하 지 않는다는 말이다. 송나라 주희(朱熹)가 《중용(中庸)》에 나온 誠이란 무엇인가를 풀면서 했던 말이다. 담연순일 (湛然純一)함을 일컬어 재(齋)라 한다. 깨끗하다 함은 맑다 는 말이요, 순일하다 함은 다른 것과 섞이지 않아 온전하 다는 말이다. 《역(易)》의 괘사전(卦辭傳)에서 齋란 무엇인 가를 풀면서 역시 주희가 한 말이다.

참되지 않는 것은 진리가 아니다. 우리의 모든 행동 준칙의 근거를 하늘이라 부른다. 우리 행동 준칙의 근거가 참되기 때문에, 그것을 따라서 실천하려고 하는 우리의 행동도 참될 수가 있다. 참된 것은 하늘의 도리요, 참되려고 하는 것은 사람의 도리라고 한 것이 이것을 이른 것이다. 사람이 하늘이 아니면서도 하늘과 더불어 위대할 수 있는 것은 바로 하늘을 닮으려고 하는 데에 있다는 말이다.

제멋대로 함부로 함을 망(妄)이라고 한다. 무망(无妄)이란 제멋대로 함부로 하지 않는다는 말이다. 그런데 이 무망이 《역(易)》을 구성하고 있는 64개의 괘 중 하나라는 것이 중요하다. 이 무망괘(无妄卦) 앞에 놓인 괘가, 소강절(邵康節)과 서화담(徐花潭)을 매혹시켰던 복괘(復卦)이다. 복(復)은 돌이켜 회복한다는 것이다. 어둠이 가장 깊을 때 새벽이 시작되는 것처럼, 온 천지가 음기로 가득 찬 때, 저 깊숙한 어느 곳에서 문득 양기가 돌아 돌이켜 시작함 그것이 바로 복(復)이다.

그러나 한번 돌이켰다고 회복되는 것은 아니다. 돌이켜 시작한 것이 꺾이지도 않고 망가지지도 않아 쑥쑥 자라서 대명(大明)을 이루고 화풍(和風)을 이룰 수 있는 것은 진실되고 한결같으며, 함부로 하지 않고 순일하여 오직 그 바른 도리만 믿고 나아가기 때문이다. 그러니 회복의 시작은 복(復)으로써 하지만, 그 회복이 성공하는 것은 무망(无妄)으로써 하기 때문이다. 성인이 무망괘(无妄卦)로 복괘(復卦)를 이은 것은 그것이 당연한 이치이기 때문이었을 것이다.

함부로 하는 것은 사사로움이 끼어들기 때문이다. 참된 진리에 선 이는 맑고 깨끗하여 잡다한 것이 끼어들지 않는다. 맑고 순전하여 온전한 일자(一者)만이 그럴 수 있는 것이다. 여기서 진실무망(眞實无妄)함이 담연순일(湛然純一)함과 서로 통한다. 마음을 깨끗이 하는 것을 齋라 하고 선비가 마음을 다스리는 곳을 齋라 부르는 것은 진실무망함이 바로 이 담연순일하도록 함으로부터 비롯하기 때문이리라.

요 몇 해를 지나는 동안 우리 대학 공동체는 큰 위기를 맞았다. 그 자리에 있으면 그 자리가 요구하는 짐을 져야 하는 법이다. 수장(首長)은 수장이기 때문에 공동체의 짐을 대신 져야 하는 법이다. 강일구 박사는 그 짐을 기꺼이 졌다. 그 긴 고단(孤單)한 신고(辛苦)의 시간을 어떻게 견디어 냈던지, 돌아온 그의 얼굴은 더 맑아지고, 음성은 여전히 쾌활하다.

마음을 다스리는 공부가 깊지 않았더라면, 그의 본바탕

이 맑지 않았다면, 그래서 그가 여느 심상(尋常)한 인사와 같았더라면, 그 긴 시간을 미움과 노염과 분함으로 심신은 피폐해졌을 것이다. 사실 미움은 미워하는 사람의 마음을 지옥으로 만드는 것이지, 미움을 받는 사람의 마음을 지옥으로 만드는 것이 아니지 않는가. 우리는 그의 진실됨과 함부로 하지 않음과 깨끗함과 한결같음에 머리를 조아리지 않을 수 없었다.

강일구 박사의 진실함, 함부로 하지 않음, 깨끗함, 한결같음은 그 고단한 신고를 겪은 뒤에 더욱 확연하다. 우리가 지어 드린 호 성재(誠齋)를 강일구 박사께서 어떻게 생각할지는 알지 못하겠으나, 그것은 지금까지 지내온 그이의 삶을 부르는 바인 것이고, 그와 함께 지내왔던 우리들이 그에 대하여 갖고 있는 바람을 담았음을 이제야 낱낱이 알려드리려 한다. 호(號)는 그의 덕(德)을 부름이요, 그에 대한 우리의 바람인 것도 알려드리려 한다. 그리고 그를 誠이라 齋라 하면서 그러하기를 바란 것이 틀리지 않아 기쁘다는 것도 알려드리려 한다.

국문과 K 교수의 글을 본인의 허락하에 여기에 싣는다

2. 호칭의 품격

우리나라에서는 부르는 호칭에 따라 자연스레 그 사람의 품격이 정해진다. 호칭만으로 상대가 대우받거나 하대받는 것이다. 석사학위를 가진 대학 강사가 지금은 대리운전기사로 일하는데 자기를 부르는 '아저씨'라는 호칭이 그렇게도 낯설었다고 한다. 어디 이 사람뿐이랴? 나도 그런데… 사람들은 호칭을 제대로 쓰면 교육 잘 받았다고 한다. 그래서 우리나라에서는 상대를 부르는 호칭에 신경을 많이 쓴다.

지금까지 사람들은 나를 '선생님,' '교수님,' '박사님,' '총장님'이라고 불렀다. 나는 이런 호칭에 익숙했고 당연하게 생각했다. 그에 어울리는 충분한 자격이 있다고 여겨왔다. 그런데 이런 익숙함이 깨졌다. 소위 말하는 법무부

별장이라는 감옥에서 생활할 때다. 나는 익숙하지 않은 다른 호칭으로 불렸다. 처음엔 그런 호칭이 무척 낯설었다. 공식적으로 나는 비인격적인 '000번'으로 불렸다. 노역(勞役)에 출력한 이후에는 조금 나아져 사장이라는 호칭으로 불렸다. '강 사장'하고 날 부르는데, 처음엔 누구를 찾나 하고 두리번거리기도 했다. 만원 시내버스에 올랐는데 발을 밟거나 하면 "이 아저씨가…"하고 눈을 부라릴 때도 그랬다. 졸지에 아저씨로 둔갑한다. 아저씨라는 호칭조차도 이렇게 당혹스럽다니, 친숙했던 호칭에서 빠져나오지 못했기 때문이다. 내가 좁은 세계에서만 살았구나 하고 자각하는 순간이다.

10여 년 전, 대학 부속유치원 어린이들에게 장난감 한 보따리를 보낸 적이 있다. 그날 이 유치원에 다니던 손자가 장난감 하나를 가지고 와서 자랑한다.

"할아버지, 이거~ 총장님이 선물로 주셨어."
"너 총장님이 누군지 아니?"
"몰라."

다시 물었다.

"강일구가 누구니?"

"할아버지."

이 녀석이 할아버지 이름은 아는구나.

이때까지만 해도 이 녀석은 장난감이 생긴 것만을 자랑하는 어린애였다. 할아버지가 총장이라는 것은 관심 밖이었다. 총장이라는 호칭을 쓰지 않고 내 이름을 썼다면 누가 장난감을 주었는지 분명히 알았을 것이다. 점차 학년이 올라가자 녀석은 할아버지가 누구인지 알게 됐다.

이처럼 같은 사람을 지칭하지만 이름으로 부를 때와 호칭으로 부를 때는 차이가 있다. 실제로 아주 친한 사이도 아니고 모르는 사이도 아닌 사람을 이름에 씨 자만 붙여서 부르기엔 거북할 때가 많다. 그러나 상대의 직함을 나타내는 호칭을 쓰면 자연스럽게 부를 수 있다. 적어도 우리나라에서는 그렇다. 이처럼 호칭은 그 쓰임 용도에 따라 미묘하지만 대인 관계에서는 중요한 역할을 한다. 서구 사회에서는 상대를 이름으로 부르니까 호칭이 단순하다. 그러나 우리는 어렸을 때부터 이름 대신 다른 호칭으로 부르는 것이 더 자연스럽다. 형, 오빠, 선배, 선생님, 과장님, 사장님, 회장님, 장관님, 어르신, 아저씨 등등. 여기에 더해, 호(號), 자(字) 등 예전의 호칭도 여전히 쓰인다.

살다 보면 사람은 자신을 낮추는 말과 상대를 높이는 말을 배워간다. 그리고 나이 들어가면서 호칭은 하나둘 늘어간다. 우리말을 배우는 외국인이 제일 어려워하는 부분이다. 호칭에 상대의 품격이 담기는 것을 이해하기 어렵기 때문이다. 나이 든 사람을 부르는 용어로 흔히 '노인네,' '노인장,' '영감님' 같은 평범한 호칭이 있다. 높이거나 낮추는 용어가 아님에도 사람들은 이런 용어를 별로 좋아하지 않는다. 또 듣기 싫어하는 호칭도 있다. 이를테면 '꼰대'와 같은 말이다. 단어 자체가 너무 천해서 누구도 이런 호칭으로 불리면 달가워하지 않는다. 대신 '어르신'이라고 부르면 대체로 좋아한다.

호칭에 따라 느껴지는 감정이 왜 이리도 다른 것일까? 우리나라에서는 사람이 평생 하나의 호칭으로만 불릴 수는 없고 처한 환경과 여건에 따라 여러 호칭으로 불린다. 입은 옷으로 귀천이 풍기듯 사람은 호칭에 따라 높여지기도 하고 낮춰지기도 한다. 호칭에 따라 예의와 말투가 자리 잡는 것이다. 이처럼 호칭으로 상대를 부를 수밖에 없다면 호칭을 잘 택하는 것이 삶의 지혜가 될 것이다. 그런 면에서 적절하고 좋은 호칭을 골라 상대방을 예우하는 것은 바람직하다. 그리고 호칭의 어색함을 줄이기 위해 처음 만나는 사람에게 명함을 건네 적절한 호칭을 사용케 하는 것은 권장할 만한 좋은 습관이다.

3. 그날 이후 내 심경

나는 그때 심리적 공황 상태에 처해 있었다. 불과 얼마 전만 해도 아무 문제가 없었다. 떵떵거리지는 못했지만 그래도 품위를 지키며 살 수 있었고 주위의 존경도 제법 받았다. 그런데 이제는 모든 일이 엉망진창이 되어 버렸다. 사법당국이 내게 무슨 짓인가를 저질렀다. 자세한 내막은 알 수 없으나 짐작되는 바는 있다. 내가 아는 것이라고는 사법 체계의 올무에 걸려들었거나 누군가가 쳐 놓은 덫에 빠졌다는 느낌뿐이다. 시간이 지나면 밝혀질 수 있겠지만, 이미 사법 조치가 다 끝나 결과가 번복될 수도 없고 재심 역시 바랄 수 없으니 무슨 소용이랴. 일이 이렇게 되도록 한 사람들과 사법당국을 생각할 때마다 치솟는 분노를 겨우 억누를 뿐이다. 하아~ 답답한 마음 식힐 시원한 냉수 어디 있는가?

나는 천안 지법에서 횡령죄로 징역 2년 반에 집행유예 3
년이라는 형을 받았다. 억울해 고법에 항소했으나 오히
려 형량이 더 늘어 횡령과 배임 죄로 징역 2년의 실형이
선고되었다. 그리고 대법원에서 확정되었다. 천안 구치
소, 대전교도소, 충주 구치소, 여주교도소를 거치는 동안
억울해 잠 못 이루었던 날이 하루 이틀이었던가. 하루 일
당 몇 백 원을 받으며 쇼핑백 봉투 만드는 노역에 동원되
면서 많은 생각으로 시간을 보내곤 했다. 심지어는 위험
한 생각이 들 때도 있었다.

대체로 일반 재소자들은 형기의 60~70% 정도를 복역하
면 가석방 혜택을 받고 출소한다. 그런데 나는 사회 지도
층에 속한다 해서 수형생활을 만기까지 더 엄격히 치러
야 했다. 결국 형기의 95%를 복역하고 당국의 선처라는
희한한 말을 듣고 가석방되었다. 참으로 웃어야 할지 울
어야 할지, 착잡한 심경이다. 사람이 더 낮아질 수 없는
지경에 이르게 되면 이런 마음이 드나 보다. 어쨌든 출소
후 겨우 마음을 추스르고 평정심을 찾았다.

가끔은 주위 사람들에게 내 사건의 개요를 설명하곤 한다.
대부분은 수긍하는 편이다. 평소의 나를 잘 알기 때문이리
라. 그러나 어떤 이는 아니 땐 굴뚝에서 연기 날까 하면서
의혹을 품는 표정을 감추지 못한다. 내색할 순 없으나 예

민해진 내겐 무척 당혹스럽다. 달리 설명할 길이 없으니까 속으로만 말한다. 진실은 그게 아닌데라고. 아~ 이 섭섭하고 답답한 마음, 이럴 때는 세상이 뿌옇게 보인다.

마음을 가다듬고 조용히 생각해 본다. 켜켜이 쌓인 이 감정의 찌꺼기는 다 버려야 한다. 쓸데없는 스트레스로 남은 인생을 망치는 것은 바보짓이다. 물론 이 트라우마가 치유되기까지는 시간이 걸릴 것이다. 그래도 너무 오래 생각하진 말자. 세계 역사에서 억울함을 당했던 사람이 어디 한두 명이었던가. 답답함과 억울함을 이겨냈던 선인(先人)들의 발자취를 바라보자.

소크라테스는 민의로 포장된 잘못된 재판을 받아 사형선고를 받았으나 담담히 받아들였다. 요셉은 어렸을 때 형제들의 미움을 사 이집트에 노예로 팔렸고, 범하지 않은 죄를 뒤집어써 감옥생활도 했다. 그러나 그는 후에 형제들을 용서하면서, 하늘의 뜻에 따라 가족의 생명을 구원하려고 자기가 먼저 이집트 땅에 보내졌다고 말한다. 그렇다. 억울한 것은 하늘에 맡기자. 바울도 너희가 친히 원수를 갚지 말라고 하지 않았는가. 답답한 생각이 자꾸 엄습해도 마음을 다스려야 한다. 이런 마음의 다짐 때문일까? 지금은 마음이 평안하다.

4. 2017년 9월 어느 날 일기

닷새나 되는 긴 휴일, 독방에 앉아 원고와 마주한다. 내가 있는 독방은 좁은 방이다. 가운데 앉아 양팔을 펴면 팔이 벽에 닿는다. 폭은 1미터 조금 넘고, 길이는 내 키를 조금 넘는 2미터다. 방 가운데에 변기가 벽에 붙어 있어, 취침 때는 반듯하게 누워 자기보다 변기를 안고 자는 형편이다. 변기 옆엔 조그만 세면대도 있다. 겨우 기지개 켤 정도의 공간이라 뚱뚱한 사람이 이 방에 온다면 지내기 힘들 것이다. 이 좁은 방에서 나는 긴 추석 휴일에 꼼짝하지 않고 앉아 있다. 평일에 허용되는 하루 30분의 방 밖 운동 시간도 없다. 그저 앉았다 일어났다 하며 운동을 대신할 뿐이다.

앉아서 계속 원고만 보다 보니 머리가 지끈거린다. 눈도

침침하다. 피곤해서인지 어느덧 스르륵 잠이 든다. 꿈을 꾼다. 둘레길인가? 계속 걸을 수밖에 없는 평범한 길이 이어지다가 비단길이 나온다. 비단길을 경쾌히 걷는다. 갑자기 울퉁불퉁한 자갈길이 나온다. 그 길을 비틀거리며 걷다 넘어진다. 코피가 난다. 일어나려니 엉덩이가 아프다. 꿈이다. 이게 뭐야. 개꿈인가? 그런데 꿈의 여운이 왜 이리 길지? 현실과 관련이 있나? 꿈에 빗대 내 삶을 살펴본다.

내 청소년기의 희망과 좌절은 다른 이들과 별반 다르지 않다. 희망 속에서도 방황하던 기억이 아련하다. 중년의 삶도 크게 다르지 않다. 공부한다고 인생의 황금기를 책과 씨름하면서 학창 시절이 40대 중반까지 길게 이어진다. 공부를 마칠 때쯤 아하! 이런 거구나 하고 학자로서의 방향이 잡힌다. 이렇게 뒤늦게까지 공부하면서 인생의 많은 시간을 보낸다. 귀국해 교수로 임용된 후로는 굴곡 없는 학자의 길을 걷는다. 사실 내가 학자가 된 것은 엉덩이가 무거워서가 아니다. 학문의 길을 가겠다고 처음부터 마음먹었던 것은 더더구나 아니다. 오히려 반대로 학문의 세계를 접하다 보니 엉덩이가 무거워져 학자로 사는 날이 내게 온 것이다.

이후 나는 남이 부르는 대로 박사, 교수로 불린다. 대학에서는 학과장, 학부장을 비롯하여 여러 처 실장과 산단장, 대학원장, 부총장을 거쳐 대학 총장으로서 오랜 기간을 행정가로 지낸다. 대학의 총장이 되자 친구들이 부러워한다. 그들이 은퇴할 무렵 나는 잘나가는 현직 대학 총장이기 때문이다. 이 시기에 나는 만족한 삶을 산다. 하고 싶은 일을 마음껏 하면서 주어진 길을 가뿐가뿐 걸었다. 마치 비단길을 걷듯 경쾌하게 말이다. 그것은 누구든 부러워할 만한 비단길이었다. 세상의 눈으로 보면 나는 출세한 것이다.

그런데 20여 년간 잘나가던 어느 날 갑자기 내 인생에 먹구름이 닥친다. 나는 죄인이 된다. 비단길을 걷다가 뜻하지 않게 자갈길을 걷게 된다. 법정에 서서 내가 지은 죄가 없으니 결백하다고 아무리 외쳐도 법은 그런 게 아니란다. 결국 2년 형을 선고받아 교도소에 수감된 죄수 신세가 된다. 실제 진실과 법의 잣대가 이렇게 다를 수가 있는가? 나이 들어 인생을 관조하고 이룸을 만끽하려고 했는데, 졸지에 고통의 시간으로 변하는구나. 탄식한들 길이 없다. 그 좋았던 칭호들도 다 멀리 가버리고 이젠 아무 인격도 없는 번호로만 불리는 사람 중 하나가 되었다.

판결 이후 나는 뉘우칠 만한 죄를 지은 행위가 없는데, 왜 죄인이 돼야 하는가 하고 묻곤 한다. 억울함을 참으며 고통의 나날을 보낸다. 아무리 곱씹어 다시 생각해 보아도 한 기관을 맡았던 책임자였을 뿐인데, 벌을 받으라는 것이 도무지 이해되지 않는다. 그것이 법이 정한 정신이니 지은 죄를 뉘우치며 감당하란다. 법으로는 타당할지 모르나 나는 소화하기 힘들다. 그것이 솔직한 내 심정이다. 실제 일어난 일과 그 일을 판단하는 법의 잣대 사이에 끼어있는 무력한 내 존재, 애처롭구나. 풀 수 없는 딜레마인가? 실제와 판단의 괴리 현장에서 나는 그저 멍~한 상태로 서 있을 뿐이다. 그 의미가 무엇인지도 모른 채…

버나드 쇼가 그의 묘비명에 새겼다는 말처럼 "우물쭈물하다가 내가 이렇게 될 줄 알았다."(잘못된 번역이라지만 번역문이 원문보다 더 의미가 있는 것 같다)는 것을 일찌감치 알아차렸다면 내 인생이 달라졌을까? 아~ 나로서는 걷기 힘든 이 자갈길을 이해할 수도 없고, 몸부림쳐도 빠져나갈 수가 없다. 황당하고 혼란스럽다. 그래도 냉정함을 유지하면서 답을 찾으려고 애써본다. 내 능력 범위를 벗어난 이런 상황이 무엇을 말하는 것일까 하고 생각하고 또 생각해 본다. 그러나 머릿속에선 여러 생각이 이리저리 교차할 뿐 명쾌한 답이 없다. 이것이 만일 하늘의 뜻이라면 도전하지 말자고 스스로 다짐하며 입술을 꽉 문다.

그래서 나는 이 좁은 감방에서 성경 해설집 원고의 교정에 심혈을 기울이며 마음을 달랜다. 이 책을 위해 무려 30년 넘게 정성을 들여 집필하고 있으니, 성경에 관심이 있으신 분들은 꼭 일독하기를 권한다. 그래도 다시 검토할 때마다 고칠 부분이 나오고 또 나온다. 지금도 그 작업을 계속하고 있다. 비록 내가 구속된 몸이라 자유롭지 못하나 독서와 저술로 보낼 시간은 있다. 이 시간이 내겐 보람된 시간이다. 내가 하고 싶은 것을 자율적(自律的)으로 할 수 있기에 그렇다. 할 수 있는 일이 있다는 것이 이리도 좋은 것인가 하고 종종 생각한다. 다만 글쓰기와 그 교정 작업량이 많아 쉽지만은 않다. 때로는 앞뒤가 꽉 막혀 머리가 지끈거릴 때가 한두 번이 아니다. 두뇌의 과다 사용 때문이리라. 그럴 때 누우면 스르륵 잠이 든다. 그리고 꿈을 꾼다.

다시 일어나면 엄연한 현실로 돌아온다. 잠깐 잠이 들었을 뿐인데 젖산으로 중첩된 피곤이 풀린 까닭일까, 머리가 명쾌하다. 글 쓰려는 내용이 술술 풀린다. 생각이 막힐까 봐 급히 속기한다. 그리고 정리하는 틈틈이 나는 내 앞에 놓인 사안을 깊이 생각하고 또 짚어 본다. 고희를 넘은 내 나이에 걸맞게 은퇴하고 여유 있는 삶을 누려야 하건만 현실은 여전히 자갈길을 걷고 있다. 왜냐고 질문하면서도 주어진 그 길을 걸으며 나는 점점 더 긍정적인 마음을 가지려 애쓴다.

꿈이 대충 맞는 것일까? 비단길과 자갈길 중 어느 길이 좋았던가? 솔직히 말하자면 비단길이었을 때가 훨씬 좋다. 자갈길이 좋다는 사람은 없다. 그런데 가만히 생각해 보니 그건 절반만 맞는 것 같다. 비단길이 좋은 것 같이 보여도 사실은 무기력할 때가 많다. 사람은 잘한다고 계속 찬사를 받으면 우쭐해지기 쉽다. 자기고양(自己高揚)이라는 휘브리스에 빠질 뿐이다. 최고 정점에 오르면 더 오를 곳이 없는 법이다. 내리막길만 있을 뿐, 결국은 허무함만 느낄 것이다. 공원의 자갈길이 처음엔 걷기에 힘드나 건강에 유익하듯이, 인생의 자갈길에서는 어려움이라는 과정을 겪으며 정신이 되살아나는 것 같다. 자갈길을 걸으며 진한 '삶의 멋'을 맛볼 수 있기에 비단길만 찾을 일이 아니다.

그래서일까? 때때로 나는 내 처지를 되돌아본다. 마음속에 치미는 울분과 분노가 일 때마다 최선을 다해 억눌러 가라앉힌다. 그런 감정이 내게 아무런 도움도 되지 못한다는 것을 알기 때문이다. 그보다는 오히려 내게 닥친 고난의 의미를 찾아보려고 더 애쓴다. 내게 닥친 일은 내게 부정적인 여건이 아니라 앞을 향해 나갈 수 있는 에너지라고 말이다.

남들은 내 감옥생활에 유감을 표하며 위로하려 한다. 그러나 나는 그 시간을 괴로웠던 시간으로 여기지 않는다. 나를 추스르는 의미 있는 시간이었다고 자평하곤 한다. 다른 이들에게는 비단길로 보이는 그 길이 사실은 자갈길이고, 자갈길처럼 보이는 이 길이 내게는 비단길이라는 역설을 받아들인다. 마음이 편치 않은 몸의 자유보다, 마음 편한 갇힌 몸이 더 유익하다. 아무래도 나는 플라톤에 가까운가 보다. 오늘은 피곤해서 이만 줄인다.

긴 추석 연휴가 있던 2017년 9월 어느 날의 일기에서

5.   겨울이 오면 어찌 봄이 멀다 하리오

우수(雨水)를 지나 경칩(驚蟄)의 언저리에 이르면 봄이다. 이맘때가 되면 농부들은 텃밭에 밑거름을 내어 봄갈이하고, 파종할 씨앗을 챙긴다. 옛날 같으면 지게 지고 산에 올라 볕바른 나무 밑의 검불을 쓸어 담아 오기도 했다. 봄은 새로워진 세계를 다시 맞는 계절이고, 솟아오르는 소망을 새롭게 펼쳐보는 계절이다. 그래서 봄이 봄인 것이다. 하지만 요즈음 우리의 주위를 돌아보면, 봄은 왔는데 봄이 봄 같지 않다(春來不似春)는 말이 들린다. 희망을 전해주는 새로움은 쉽게 찾을 수 없고, 움츠렸던 몸은 펴지기는커녕 더욱 저리다. 봄이 턱 앞에 왔는데 아직 추위가 오락가락한다.

코로나 팬데믹 이후 사람들의 삶이 많이 핍박해졌다. 사람들의 사귐도 줄었다. 이웃에의 배려도 메말랐다. 취업에 나서는 청년들은 어디로 가야 할지 헤매고 있다. 이미 국제무역 수지도 적자다. 이런 현실들은 양극화를 더욱 부추긴다. 부자는 더 부해지고 없는 이는 더 궁핍하다. 사람들은 경제가 이 지경에 이른 원인을 강남 아파트값 때문이라고 한다. 또는 집값 혼란을 부추기는 정책 탓이라고도 한다. 혹자는 시중에 돈이 너무 많이 풀려서 그렇다고 한다. 어떤 이는 지구촌에 전쟁이 다반사로 일어나서라고 한다. 일단 붙은 불은 빨리 꺼야 한다. 그러나 우리는 이 기회에 더 근본적인 이유가 있는지 문제의 본질을 깊이 성찰해 봐야 한다.

현실을 보자. 세계의 여러 나라가 자원의 선점과 독점에 열을 올리고 있다. 국제적 투자자들은 탐욕과 혼이 없는 투자로 경제적 불균형을 점점 더 심화시킨다. 우리도 별로 다르지 않다. 사람들은 있는 돈 없는 돈 다 긁어모아 부동산에 투자하려고 한다. 아파트를 여러 채 가진 사람은 임차인의 사정은 아랑곳하지 않고 전세 올리는 데만 혈안 돼 있다. 정책을 입안하는 사람들에게 국민은 안중에 없다. 국민의 복지나 행복보다 자신에게 올 표를 더 생각하는 데 익숙한 사람들이다. 그러니 국민 누가 그들을 존경하겠는가. 물론 평등을 실현하는 길을 찾기가 그리 쉽지는 않을 것이다. 당장 어떤 해결책이 손에 잡히는 것도 아니다. 시간이 지나며 양극화는 점점 더 그 간격을 넓혀간다. 결국 사회는 겨울처럼 꽁꽁 얼어 있다.

불균형을 바로잡는 정의롭고 평등한 배분 방법이 없을까? 논리적으로 보면, 있다. 누구도 이의를 달 수 없는 의과학적인 이론이 있다. 의외겠지만 코로나 바이러스가 새로운 가능성을 제공한다. 바이러스는 빈부를 가리지 않는다. 국적도 가리지 않는다. 사회계층도 가리지 않는다. 이보다 더 평등한 방법이 있을까? 인류의 삶에서 평등을 찾기는 쉽지 않다. 인류가 '~~주의,' '~~주의' 하면서 평등을 위한 제안과 정책을 펴 봤으나 뜻을 이루지 못했다는 것을 누구나 다 안다. 아무도 평등하다고 느끼지 않는다.

그런데 코로나 바이러스를 보자. 모두를 평등하게 대한다. 아무것도 가리지 않는다. 자기가 살 수 있는 조건만 맞으면 누구든 찾아간다. 아이러니 아닌가? 미물에 불과한 바이러스가 최고의 지성과 감성을 가진 인간이 주장하는 '~~주의'보다 더 평등하게 다가온다니 말이다. 물론 바이러스가 우리의 평등을 실현해 준다는 말이 아니다. 바이러스조차 우리에게 평등하게 접근한다면, 하물며 최고의 지성을 가진 인간인 우리가 실현하지 못할 이유가 없다는 말이다. 다만 우리의 탐욕과 욕심이 이것 막을 뿐이다.

바이러스도 할 수 있는 일을 우리는 왜 못 할까? 정말 봄이 오긴 올 것인가? 우리를 옥죄는 추위는 언제 우리를 떠날 것인가? 의구심을 떨칠 수 없다. 그러나 겨울이 지나면 봄은 어김없이 온다. 희망을 품고 계속 길을 찾으면 아무리 추운 겨울이라도 보낼 수 있다. 봄은 그때 온다. 봄이 오면 추위에 언 몸을 녹일 수 있다. 미물조차 평등하게 다가오는데, 인간이 그 길을 찾지 못할 리 없다. 이런 말을 하면 사람들은 내가 꿈속에서 살고 있다며 힐난하지만, 아니다. 그런 날이 온다. 비록 지금은 얼어붙은 겨울의 동토 속에 갇혀 있지만 봄은 온다.

6.25 전쟁 이후 고통스럽고 살기 힘들었던 우리 시대의 모습을 그린 박수근 화백의 그림이 있다. '나무와 두 여인'이라는 그림인데, 거친 화강암 질감을 짙게 풍기는 작품이다. 늦가을에 잎이 다 떨어진 앙상한 나무 한 그루가 있고 그 옆을 무심히 걸어가는 두 여인의 모습을 그렸다. 나무는 죽은 고목(枯木)처럼 보이지만, 실은 살아 있는 나목(裸木)이다. 앙상한 가지뿐이지만 생명이 숨 쉬고 있다. 조용히 봄을 기다린다. 겨울을 앞둔 여인들의 쓸쓸한 모습과 함께 봄이 다가온다는 희망을 암시하는 나목! 그 모습은 수백 페이지의 설명 보다 그림 한 장으로 그 의미를 잘

전하고 있다.

그렇다. 우리는 겨울의 고목에만 집착하지 않고 나목(裸木)을 보며 곧 다가올 봄에의 희망을 꿈꾸어야 한다. 빈부의 양극화가 완화되고, 불균형이 잡히는 평등 사회가 오기를 꿈꾸자. 오늘의 고통도 오늘의 어려움도 내일을 꿈꾸며 이겨내자. 기지개 활짝 펴는 날을 기다리자. 우리가 꿈꾸는 한 희망은 싹튼다. 셸리(P. S. Shelley)의 시구(詩句)가 떠오른다. "겨울이 오면 어찌 봄이 멀다 할 수 있으랴." (If winter comes, can spring be far behind).

6. 빨리 자라라고 새싹을 잡아당겨?

맹자의 조장(助長) 이야기다. 송나라에 남 도와주기를 좋
아하는 어수룩한 사람이 있었다. 그런데 자기 생각으로
만 열심히 남을 돕다 보니 주위에 있는 사람들이 거북할
때가 많았다. 하루는 이 사람이 밭에 가 보니 새싹이 나오
고 있었다. 이제 막 흙을 가르고 머리를 드는 가냘픈 새싹
이 자기 힘으로 잘 자랄지 걱정되었다. 속으로 저것들이
언제 커서 제힘으로 설 수 있을까를 염려하다가 어린 새
싹의 성장을 돕기로 마음먹는다. 정성을 다하여 새싹 하
나하나를 조금씩 위로 잡아당겨 주었다. 이제 갓 머리를
쳐든 여린 새싹들이 졸지에 키가 커졌다. 흐뭇해하며 가
족들에게 자랑했다. 이 말을 들은 아들이 아차 싶어 밭에
나가보았다. 아니나 다를까 새싹들이 모두 고개 숙이고
축 늘어져 있었다. 스스로 자라야 하는 새싹을 빨리 크게

하려다 오히려 죽게 했다. 맹자의 공손추장(公孫丑章)에 나오는 송(宋)나라 농부의 우화에서 유래한 '조장'(助長) 이야기를 내 버전으로 풀어 보았다.

오늘의 우리에겐 이런 시행착오가 없을까? 왜 없으랴. 자녀 돕는답시고 이런저런 간섭을 지나치게 하다가 나중에 왕따 되는 부모가 어디 한 둘인가. 저 하도록 내버려 두어도 되는 아이에게 빨리 크라고 부모가 위로 잡아당기면 새싹을 당기는 송나라의 어수룩한 사람과 무엇이 다를까. 선행학습 시킨다고 아이가 남보다 앞서는 게 아니다. 필요 이상의 재물을 푹푹 쓴다고 더 잘 크는 것도 아니다. 순기능보다 역기능이 걱정된다. 새싹은 잡아당겨서 기르는 게 아니라, 적절한 물을 주면서 햇볕을 받게 하면 스스로 잘 자란다. 오늘의 부모들은 맹자의 가르침대로 도의(道義)의 성장에 따라서 서서히 마음을 키워나가야 한다는 것을 잘 알고 있다. 그럼에도 불구하고 남보다 빨리 크게 한다며 자녀들을 과보호하거나 지나친 요구를 한다. 마치 새싹 잡아당기듯 말이다.

아이를 과보호하면 아이는 커서 사람들과 어울리는 일에 서툴러 오랫동안 고생하게 된다. 과유불급(過猶不及)이라 했던가. 자녀에 대한 과잉투자, 지나친 요구, 그리고 간섭은 항상 문제를 안고 있다. 이렇게 자란 아이는 성인이 된 후에도 자기 일을 스스로 처리하지 못해 쩔쩔맨다. "엄마 이거 어떻게 해." 하는 마마보이나 "아빠 이것 어떻게 해." 하는 파파걸이 될 게 뻔하다. 아니면 자기만 생각하는 철저한 이기주의자가 된다. 부모들이 흔히 저지르는 실책은 자신이 하는 일이 언제나 옳다는 착각이다. 그들은 새싹을 당기는 게 옳다고 한다. 새싹을 당겨 농사를 망치듯 과잉 간섭으로 자녀를 돕는다는 것은 바보 같은 생각이다. 그런데 이런 어리석은 짓을 하는 부모들이 의외로 많다. 새싹을 조장(助長)한다고 믿는 바보들 말이다. 그들은 절대로 자신이 바보라고 생각하지 않겠지만, 그들은 진짜 바보다.

그렇다고 이런 바보짓을 지나치게 염려해 조금만 도와주면 되는 이웃이 있는데 스스로 일어나라고 눈 딱 감는 것은 몰인정한 사람이다. 이웃을 돕지 않고 모른 척하면 그

역시 바른 태도가 아니다. 도울 수 있는데 내 도움이 농사 망친다는 식으로 자기합리화를 하지는 말자. 물이 필요한 새싹에게는 물을 주어야 한다. 위로 당기는 짓 하지 말고… 물을 주지 않아 말라죽게 하는 사람은 문제가 있는 사람이다. 사람이 사람답게 살려면 서로 도우며 살아야 한다. 이것이 사람 사는 모습이다.

자녀가 다음 중 누구와 같은 사람이 되도록 가르쳐야 하겠는가?

시골로 내려가는 길에 강도를 만나 피투성이가 된 사람이 길가에 엎어져 있다. 종교 지도자와 사회 지도층 인사, 그리고 천대받는 사람이 차례로 이 현장을 지난다. 지도층에 속하는 종교 지도자와 사회 지도층 인사는 그들 나름대로의 이유가 있어 도움의 손길을 펴지 않고 피하여 그냥 지나간다. 그런데 사회에서 천대받던 선한 사람이 피투성이가 된 사람을 불쌍히 여겨 돌보아 준다. 아무리 사회 규범이나 어떤 법적 이유가 있다고 해도 타인의 아픔을 보고도 모른 척하고 피하는 지도적 위치에 있는 사람들의 태도가 좋은 삶의 태도는 아니다. 법을 지켰어도 이들은 자비가 없는 차가운 사람으로 치부될 뿐이다. 오늘 우리의 현실에서 이런 자비 없는 무관심이 팽배해 있는 것 같아 그게 걱정이다.

사람이 살면서 당연히 해야 하는 일, 자비를 베풀 일이 생기면 천대받던 사람처럼 나서야 한다. 다친 이웃을 도와주어야 한다. 그것이 인간다운 삶을 사는 것이다. 자녀의 경우도 같다. 도움이 필요한 자녀의 공부를 힘껏 도와야 한다. 그러나 돕는다고 새싹을 잡아당기는 바보짓은 하지 말자. 새싹을 조장(助長)하는 것은 유익함이 없을 뿐만 아니라 도리어 새싹을 말라죽게 한다. 새싹이 자기 힘으로 성장하도록 물을 주는 일은 새싹을 잡아당겨 키를 크게 하는 짓과는 질적으로 다르다. 새싹이 자기 힘으로 땅속에서 물과 양분을 받아들이고 햇빛을 받아서 자라게 해야지, 강제로 빨리 자라라고 인위적으로 당겨서는 안 된다. 그래서 "고기를 주지 말고 고기 잡는 법을 가르쳐 주라."는 격언이 있는 것이다.

7.   좌절과 역경을 넘어

한 악기상에서 바이올린의 음질은 목재와 긴밀한 관계가 있다고 들었다. 고급 바이올린 목재는 센 바람이 항상 부는 높은 고산지대에서 나온다고 한다. 모진 바람에 시달리면서 한쪽으로만 뻗는 가지로 만든 악기가 좋은 소리를 낸다는 것이다. 그 음질의 가치를 돈으로 측정할 수는 없다. 그러나 300년 넘게 좋은 음질을 지켜온 명기 스트라디바리우스는 그 가격이 아주 비싸다. 모진 바람을 맞고 산 나무가 좋은 장인과 연주자를 만나면 멋진 음질을 낼 수 있다.

돛배가 움직이는 것은 바람 때문이다. 바람이 에너지원이다. 북해는 북유럽의 앞바다인데 항상 강한 바람이 부는 걸로 악명이 높다. 그러나 거센 바람이 돛에 닿으면 배가 항해한다. 바람이 거셀수록 배는 속도를 높인다. '북풍이 바이킹을 만들었다'는 속담이 여기서 나왔다. 바이킹족은 거센 바람을 긍정적인 힘으로 역이용해 유럽 전역에 진출했고 그들의 운명을 개척했다. 추위와 억센 북풍이라는 환경에 적응하고 극복하면서 문명과 기술의 발전을 이뤄낸 것이다. 기술 산업이 유럽의 추운 나라에서 발전된 데는 다 이유가 있다. 역경을 극복하면 축복이 된다.

인생의 뜰에서 역경은 센 바람과 같아 정말 견디기가 힘들다. 그러나 잘 극복하고 승화시키면 둘도 없는 동력이 된다. 어려움과 역경이 싫다고, 사람이 고통 없는 안락한 환경에만 계속 머무르면, 삶의 동력을 잃을 위험이 있다. 펭귄이 날지 못하는 새가 된 것은 먹을 것이 풍부하여 멀리까지 날아다닐 필요가 없어서라고 한다. 오랜 세월 안주하다 보니 그렇게 되었다는 것이다.

인간 사회에서도 삶을 통찰하는 경험 없이, 그저 편안하게만 부(富)를 대물림하는 관행은 바람직하지 않다. 내가 아는 지방의 부호가 있다. 돈이 엄청나게 많은 분인데 슬하에 두 아들을 두었다. 귀엽다고 금이야 옥이야 하고 키웠으나, 교육에는 인색했다. 아이들은 커가면서 호강만 했지 돈 귀한 것을 배우지 못했다. 커서 청년이 되어서도 아버지 돈으로 살았다. 어느 날 아버지가 갑자기 돌아가

셨다. 유산을 두고 두 아들 사이에 재산 싸움이 벌어졌다. 칼부림까지 하게 되었다. 큰아들이 작은 아들을 찔러 돌이킬 수 없는 큰 상처를 남겼다. 충격을 받은 작은아들은 어디론가 떠났다. 큰아들은 죄책감으로 술만 마시다가 호수에 몸을 던져 자살했다. 상속자가 사라진 상황에서 아버지의 그 많은 유산은 결국 이리저리 나뉘고 거의 다 사라졌다.

모든 걸 지켜본 나는 부자가 이렇게도 쉽게 망하는구나 하고 혀를 찼다. 내 생각에는 자녀가 자기 힘으로 살아가도록 하는 것이 좋다고 본다. 성공시킨답시고 필요 이상의 돈으로 도우면 자녀 스스로 살아가는 길을 막게 된다. 제 손으로 벌어서 먹고살아야지, 부모 유산이나 외부의 도움으로 살면 자생력(自生力)을 잃는다는 말이다. 그런데도 아직 내 주변에는 자녀에게 많은 돈을 유산으로 물려주려는 사람들이 있다. 돈 벌어본 적도 없고 돈을 쓸 줄도 모르는 자녀에게 많은 돈을 갖게 하는 것은 현명한 생각이 아니다. 아니 위험한 생각이다. 비바람을 피하려고 부모의 그늘에만 안주하려는 젊은이여, 생각을 바꾸라. 비바람이 세차게 불 때 대처하는 법을 배워야 한다. 역경 속에서도 재기하려는 의지를 가져야 한다. 부모들 역시 자녀에게 돈을 물려주기보다는 돈을 벌 수 있고 쓸 줄 알도록 교육하는 것이 정말 자녀를 사랑하는 것임을 알아야 한다.

세상에서 겪는 모진 비바람이 인생의 극장에서 아름다운 음악으로 승화될 수 있을까? 살을 에는 북해 바다의 강풍에도, 인생의 배가 순항할 수 있을까? 그 부자의 이야기와는 달리, 우리는 모질게 바람 부는 삶의 역경 속에서도 빛나는 승리를 쟁취한 인물을 찾을 수 있다. 역경을 이기고 뜻을 이룬 한 의지의 인물을 만나보자. 호서대학교를 설립한 고 강석규 총장은 1913년에 출생해서 2015년까지 103세를 사신 분이다. 고난과 역경 속에서도 자수성가한 분으로 중고등학교와 전문대학, 종합대학을 설립한 분이다. 그가 95세 때의 일화를 어느 작가가 다음과 같은 수기 형태로 편집했다.

어느 95세 어른의 수기

나는 젊었을 때.
정말 열심히 일했습니다.

그 결과 나는 실력을 인정받았고
존경받았습니다.

그 덕에 65세 때 당당한 은퇴를 할 수 있었죠.
그런 내가 30년 후인 95살 생일 때
얼마나 후회의 눈물을 흘렸는지 모릅니다.

내 65년의 생애는 자랑스럽고 떳떳했지만
이후 30년의 삶은 부끄럽고 후회되고
비통한 삶이었습니다.

나는 퇴직 후
'이제 다 살았다. 남은 인생은 그냥 덤이다'
라는 생각으로 그저 고통 없이 죽기만을
기다렸습니다.

덧없고 희망이 없는 삶…
그런 삶을 무려 30년이나 살았습니다.

30년의 시간은
지금 내 나이 95세로 보면…
3분의 1에 해당하는 기나긴 시간입니다.

만일 내가 퇴직할 때
앞으로 30년을 더 살 수 있다고 생각했다면
난 정말 그렇게 살지는 않았을 것입니다.

그때 나 스스로가

늙었다고

뭔가를 시작하기엔 늦었다고

생각했던 것이 큰 잘못이었습니다.

나는 지금 95살이지만 정신이 또렷합니다.

앞으로 10년, 20년을 더 살지 모릅니다.

이제 나는 하고 싶었던 어학 공부를

시작하려 합니다.

그 이유는 단 한 가지…

10년 후 맞이하게 될 105번째 생일날.

95살 때 왜 아무것도 시작하지 않았는지

후회하지 않기 위해서입니다.

이 일화를 남기신 강석규 총장은 어렸을 때 가난한 집안
에서 자랐다. 너무 가난하여 형제들 대부분이 일찍 죽었
다. 학교를 다녀오면 먹을 것이 없어 맹물을 퍼마시며 허
기를 채웠다. 먹지 못해 키는 작았고, 그나마 자잘한 병치
레로 몸이 허약했다. 돈이 없어 남들 가는 중학교도 못갔

다. 소 학교때 성적은 중간 정도였다. 특히 부잣집의 덩치 크고 공부도 잘하는 친구로부터 괄시와 수치를 많이도 당했다. 그때마다 못나서 참을 수밖에 없는 비참한 신세를 한탄하며 초라함과 열등감에 사로잡혔다.

어느 날 그 친구에게 주먹질을 당하고 개천에 처박힌 후, 오기가 올라왔다. "그래 두고 보자." 지금은 비참한 처지 지만, 이를 악물고, 성공해서 갚아주겠다고 다짐하며 악착 같이 공부했다. 그렇게 노력하다 보니, 열등감에서 탈출할 길이 보였다. 점차 그 길이 단단해지면서 더 큰 꿈을 꾸게 됐고, 그 꿈을 이루어 초라함과 열등감을 넘어서고자 결심했다. 좌절과 역경을 돌파하겠다는 의지를 불태웠다.

고학생으로 각고 끝에 38세에 늦깎이로 대학을 졸업하고 교수가 되어 학생들을 가르쳤다. 은퇴 후엔 중고등학교를 세웠고, 대학도 설립해 총장까지 역임하셨다.

가난했던 집안에서 몸도 약했던 그에게 열악한 환경을 탈출하려는 의지가 없었다면 과연 새 꿈을 꿀 수 있었을까? 또 친구의 비인간적인 멸시에 자극받아 마음속에 '두고 보자'는 채찍질의 자극이 없었다면 꿈을 꿀 결심을 할 수 있었을까? 그는 최악의 조건을 최선의 조건으로 바꾸었다. 그는 비바람을 이겨내고 강풍을 에너지원으로 바꾼 돛배와도 같다. 이후 그의 인생역정을 보면 늘 "할 수 없다가 무슨 말이냐." 하면서, 당신이 하고 싶은 일에 끊임없이 도전한다. 열등감이라든지 나이 들어 할 수 없다든지 하는 말은 그의 사전에 없다. 강석규 총장이 살아온 삶은 모진 바람과 역경의 연속이었지만 스스로 도전해서 좌절과 역경을 뚫고 이뤄낸 성공한 삶이었다.

시골 길바닥에 흔히 자라는 납작한 질경이 잎은 사람들의 발에 밟혀 뭉개진다. 하지만 질경이는 바로 그 흙먼지 속에서 역경을 극복하고 작은 흰 꽃을 피운다. 자기 힘으로 땅속에서 물과 양분을 빨아들이고 햇빛을 받아 스스로 살아난다. 그러나 화려한 응접실 꽃은 사람이 물 주기를 잊으면 말라죽는다. 타의에 의지하여 사는 삶이 이런 것이다. 삶이 역경에 처할 때, 어찌할 수 없는 막다른 골목에 다다랐을 때, 바로 그때 바닥을 쳤다 생각하고 스스로 자생하려는 돌파구를 찾아야 한다. 타의에 나를 맡기면 안 된다. 자생력을 가져야 한다. 역경을 자극제라고 생각하면서 극복하는 노력을 해야 한다. 비바람이 세차게 몰아쳐도 굴복하지 말아야 한다. 확고한 꿈을 꾸고 가꾸며 나아간다면, 역경은 오히려 더 좋은 기회를 갖게 할 것이다. 그러므로 좌절하지 말자. 크고 높고 아름다운 꿈을 꾸며 삶의 활력을 갖자. 고난의 때 꿈으로 이겨내는 사람의 삶은 아름답다.

4부

공직자여 들으시라

1. 콩 세 알

'콩 세 알'은 우리 조상들이 쓰던 말이라고 들었다. 언제 어디서 들었는지는 기억나지 않으나 내용은 알고 있다. 콩 세 알을 심는 농부의 마음을 나타내는 것에서 유래됐다고 한다. 콩 하나는 그 열매를 새들의 먹이로 자연에 내준다는 뜻이요, 하나는 이웃을 위해 심는다는 뜻이며, 하나는 자신의 양식으로 심는다는 뜻이다. 내가 심었으니 나만 먹겠다는 것이 아니라 이웃과 서로 상부상조하며 나누자는 뜻이다. 이 세상의 아름다운 자연도 돌본다는 깊은 심성을 읽을 수 있다. 조상들의 넓은 아량과 덕스러운 생각에 그저 머리 숙인다.

오늘날 고위 공직자들이 개발이익을 얻으려고 땅 사는 데 혈안이 돼 있는 마음을 옛 농부들의 마음가짐에 빗대

보자. 공직자들은 (자기 땅에) 콩 세 알을 심었는가? 아니다. 그러면 뭘 심었는가? 돈 된다는 묘목을 심었다. 누구는 그것도 귀찮아 아무것도 심지 않고 쓰레기 가득하도록 방치하며 땅값 오르기만을 기다린다. 아예 비교의 대상이 안 된다. 격이 다르다. 비록 오늘의 공직자가 옛날 농부보다 아는 게 더 많다 할지라도, 사람 사는 도리나 지혜는 훨씬 못 미친다. 매일매일 이런 현실을 보고 있자니, 소박하게 농사짓던 옛 조상들의 지혜가 그립고 또 그립다.

나이 든 내가 앞으로 남은 생애 동안 하고 싶은 일이 있다. 아니 해야만 하는 일 같다. 밭에 콩을 심어보련다. 옛 조상이 했듯, 콩 세 알이 자라 결실하면 그 열매를 새에게도 주고 이웃에게도 주며 내 양식으로도 즐길 수 있으리라. '콩 세 알 공동체'를 만들어 시민운동을 해 볼까? 동호인과 함께 크루(Crew)를 만들어 함께하면 더 좋겠지. 모두를 위해서 좋은 일이니까. 이 마음을 담아 자작시(自作詩) 한 수 읊어 본다. 제목 '콩 세 알.'

콩 세알

작은 밭에 심은 콩 세 알
이웃을 도울 수 있겠구나
열매를 주신 그분께 감사하련다.

새야 새야 하늘 나는 새야

지쳤으면 이리 와 쉬고 먹으렴

너를 위해 준비한 것이란다.

사랑하는 아주머니 아저씨

고단하면 이거 잡숫고 힘내세요.

여러분을 위해 준비했습니다.

콩 세 알 심은 농사꾼아

배고프면 너도 먹고 살아라.

존귀하신 그분이 네게 주신 열매로다.

콩 세 알 심는 마음을 주신 그분께 감사하며 어쭙잖으나
한 편의 詩를 써보았다.

2. 과속 방지턱을 설치해야

소위 말하는 '민식이 법'이 어렵게 국회에서 통과되었다. 이 법은 학교 앞 어린이 보호구역에서 어린이의 사고를 막자는 취지로 제정되었다. 그런데 법 시행 논의 과정이 한심하다. 불행한 사고를 막는 실질적인 행정보다 CCTV 설치와 같은 돈 드는 것 가지고 아웅다웅한다. 예산이 적네 마네 하고 말이다. 또 아이가 죽거나 다쳤을 때 가해 차량 운전사의 처벌 조항이 강하네 약하네 하고 설왕설래한다. 참으로 안타까운 일이다.

이런 조치가 필요 없다는 말이 아니라 현실적이지 않다는 말이다. 아무리 돈 많이 들여 CCTV를 여러 대 설치하고 가해 차량 운전자의 처벌을 높여도, 사고는 날 수 있다. 실제로 그 후에 사고가 났다. 사고가 나지 않도록 하는 방법이 과연 있는가? 있다. 심지어 비용이 적게 드는 현실적인 방법이 있다. 어린이 보호구역을 지나는 차량의 속도를 아예 물리적으로 줄여버리면 된다. 어린이 보호구역에서 차량의 속도를 줄이려면, 도로 구조를 고치면 된다. 그것은 도로를 재설계하는 엄청난 일이 아니라, 단순히 도로에 과속 방지턱을 몇 개 설치하는 것이다. 어린이 보호구역 왼쪽에 3개, 오른쪽에 3개를 설치하면 좋겠다. 그리고 일반 과속 방지턱보다 조금 높게 하자. 그러면 당연히 사고가 줄 수밖에 없다.

생각해 보라. 높은 방지턱을 무심코 과속으로 지나가면 차가 쿵 하고 심하게 들썩일 테니까 운전자는 깜짝 놀랄 것이다. 운전자 대다수는 첫 번째 과속 방지턱에서 속도를 줄이겠지만, 계속 과속하는 차량이 있을 수 있다는 가정 아래 두 번째 과속 방지턱이 있다. 그것은 제대로 기능을 수행할 것이다. 그럼에도 속도를 줄이지 않는 과속 차량이 있다면, 세 번째 과속 방지턱을 통과하면서 모종의 대가(?)를 치르게 될 것이다. 운전자는 심한 충격으로 혼비백산하거나, 차량 일부분이 충격으로 훼손될 것이 자명하기 때문이다. 아마도 어떤 운전자는 음주 운전으로 면허가 정지된다는 통보를 받게 될지도 모른다.

그러므로 세 번째 방지턱을 지날 때는 제아무리 강심장

을 가진 운전자라도 천천히 조심스럽게 운행할 수밖에 없다. 그러니 사고가 날 수 있겠는가? 비록 운전자가 속으로는 불평하겠지만 말이다. 내 제안에 당국자는 아마도 지역민들의 의견이 어떻고 접수된 불만 사항이 어떻고 하면서 주저할 것이다. 물론 시비 거는 주민도 있을 것이다. 그래도 내 제안이 가장 실질적인 제안일 것이다. 분명히 물리적인 사고는 방지될 것이다.

과속 방지턱을 설치하는 데는 돈도 별로 들지 않는다. 불필요한 고가의 장치를 설치하려고 애쓰지 말고 과속 방지턱 같은 실질적이고 구체적인 조치가 실행되면 좋겠다. 비싼 돈 들여 CCTV를 도입하여 설치하거나 법적 처벌 조항을 무겁게 하는 방법보다 내 제안이 훨씬 더 실용적일 것이다. 그럼에도 불구하고 여전히 CCTV를 설치할 예산이 없어서 안전을 보장할 수 없다고 손 놓고 있다면, 이렇게 간단히 실천할 수 있는데 예산 때문에 못 한다면, 안일한 공무원으로 비난받을 수 있다. 실용적인 것을 외면하고 생색만 내려는 정책, 예산만 기다리는 정책, 멀리 보지 못하는 근시안적 정책, 이런 거 이젠 그만하자. 국민이 피곤해지니까…

3. 이것이 조령모개

내가 사는 아파트 바로 옆에 초등학교가 있다. 이 학교에
는 정문과 후문이 있는데 정문은 항상 열려있고 후문은
늘 잠겨 있다. 후문은 우리 아파트와 붙어있다. 아파트에
사는 학생들은 등하교 시간에 정문으로 멀리 돌아가지
않고 가까운 후문으로 다닌다. 아니, 닫힌 후문을 뛰어넘
어서 다닌다.

손자 녀석이 후문을 뛰어넘다가 다리가 문틈에 끼어 넘
어졌다. 무릎에 금이 가서 한 달 동안 목발을 딛고 지내는
신세가 되었다. 왜 문을 뛰어넘느냐고 교과서적으로 나
무라기는 했으나, 이 녀석 귀에 그런 말이 들어갈 리 없었
다. 어쨌든 녀석 때문에 가족이 고생 좀 했다.

그 일로 내가 학교를 찾아가 손자 병원비를 청구하진 않았다. 그런 요구가 덕스러운 행동 같아 보이지 않았기 때문이다. 아니, 그보다도 우리나라 의료비 지원체계가 아주 잘 되어 있어 그럴 필요까진 없겠다는 마음이 더 앞섰는지도 모른다. 또 나보다 그 녀석 부모가 잘 처리하겠지 하는 생각도 들었다. 아마 미국 같았으면 학교가 직무를 제대로 하고 있네 마네 하면서 또는 아이들의 안전이 어쩌고저쩌고할 것이 뻔하다. 그러고는 부모들이 치료비 일부를 보상 받았을 것이다.

그런데 시간이 흐르면서 가만히 생각해 보니 학교 측의 무성의가 자꾸 맘에 걸린다. 한마디 해야 하지 않나 하는 생각이 슬슬 올라온다. 하교 시간에 후문을 뛰어넘었다는 것은 그 시간에 많은 학생이 이용해야 하는 문을 닫아 놓았다는 얘기다. 후문을 늘 닫아 놓으니 남학생들이 일상처럼 뛰어넘는다. 심지어 여학생이 뛰어넘는 경우도 종종 있다. 사정이 이렇다면 학생들을 위해 등하교 시간만이라도 후문을 열어놓는 유연성을 발휘해야 한다. 그렇지만 학교 관계자들은 등하교 시간에 후문을 열 생각이 전혀 없는 듯하다. 다른 무슨 이유가 있어서인지, 왜 문을 닫았는지 궁금하다.

나름대로 후문을 닫는 이유는 있을 것이다. 얼마 전까지 교육청은 주민들이 이용할 수 있도록 학교 운동장을 개방했다. 주민들은 좋아했다. 그런데 어느 학교에선가 질이 좋지 않은 사람이 교내에 들어가 학생들에게 못된 짓을 벌이자, 교육청은 즉각 반응했다. 불미스러운 사고를 막는 방안이 채택되었다. 모든 학교에 등하교 시간 외에는 문을 닫아놓으라고 지시했을 것이다. 외부인 출입을 막으면 안전할 것으로 생각한 모양이다. 물론 외부인에는 지역주민도 포함돼 있다.

언제는 주민들의 복지 향상을 위해 학교 시설을 개방한다고 했다가, 이제는 재학생의 안전을 이유로 개방하지 않는다고 한다. 이랬다저랬다 하는 전형적인 조령모개(朝令暮改)다. 즉, 아침에 명령하고 저녁에 바꾸는 식이다. 멀리 보지 못하고 눈앞만 본다. 긴 눈으로 학교 환경을 생각하는 철학이 없으니 그럴 수밖에 없을 것이다. 교육 환경만 이렇겠는가? 정치나 정책은? 원칙과 철학 속에서 깊이 생각 하고 길게 보자. 눈앞의 것만 보고 일하는 것이 나는 유감스럽다.

4. "니들 뭐 하냐, 이런 것도 해결 안 하고"

암호명처럼 들리는 '코드 블루'(Code blue)는 의료진에게 심정지 환자 발생을 알려 긴급 출동을 명하는 응급 코드다. 그러므로 코드 블루를 접한 의료인은 즉시 환자에게 뛰어가야 한다. 그리고 지체 없이 환자에게 심폐 소생술을 실행해야 한다. 이런 의미의 의료 용어인 코드 블루를 건축에도 활용할 수 있다고 어느 사진작가는 말한다.

나는 얼마 전 커피 한 잔 마시려고 천안 유량동에 있는 리각 미술관에 들렀다. 관장의 소개로 사진 전시회를 관람했다. 윤승준 작가의 건물 사진 전시회였는데 "코드 블루: 정지된 풍경의 도상학"이라는 제목이 붙어 있었다. 다 지었지만 활용되지 않거나, 짓다 만 큰 건물들을 작품의 소재로 했는데, 많은 생각이 든다. 미완의 건물들이 품고 있는 사연을 사진이라는 하나의 예술 장르로 소화해 냈다. 관람자에게 호소하는 사회적 메시지가 강렬하다.

제주에 건설돼 완공된 아름다운 마을이 있다. 소위 말하는 이태리 하우스 군락지다. 마치 지중해의 아름다운 크로아티아 해변에 와 있는 듯한 느낌을 주는 집들이다. 40~50 채의 밝은 흰색 집이 여기저기에 균형감 있게 자리 잡은, 정말 살고 싶은 멋있는 마을의 모습이다. 이 아름다운 집들이 지금은 사진 속에서만 '정지'된 프레임으로 고요히 자리하고 있을 뿐, 사회-미학적인 맥락이 살아 숨 쉬지 못하고 잠자고 있다. 그곳엔 아무도 살지 않기 때문이다.

텅 빈 마을. 집은 완성되었으나 이 국면에서 멈춰 있다. 더 이상의 진행은 없다. 주위의 민원 때문이란다. 재판 중이기도 하고. 아, 이 아까운 고급 주거시설이 그냥 빈집으로 남아 있다니, 허한 마음이 든다. 재판이 끝나려면 몇 년이 더 걸릴지 알 수 없는데, 그저 방치돼 있다. 투자자와 민원인도 각기 나름대로 이유가 있겠지만, 대화로 풀 순 없을까? 누가 이런 문제를 중재해야 하나? 정치권을 비롯한 공직자들일 텐데, 시시한 다른 일들로 쌈박질이나 하고 있겠지. 속으로 "니들 뭐 하냐? 이런 것도 해결 안 하고" 하는 말이 하마터면 입 밖으로 튀어나올 뻔했다. 쯧쯧.

옆에 전시된 사진으로 가 본다. 강원도 속초 해변에 세운 9층짜리 리조트 건물이 완성되었다. 그런데 내부 시설은 없고 골조만 덩그러니 자리하고 있다. 한눈에 봐도 아름다운 건물인데 이 건물도 건물주의 부도로 시공사와 법정투쟁을 한단다. 언제 해결될지 모른다. 아름다운 주위 경치가 매혹적인데 건물이 비어 있어 너무 아깝다. 큐레이터는 나를 따라다니면서 열심히 작품 설명을 해 준다. 아직도 철거되지 않은 안전대의 모습이나 건물 외벽에 축 처진 가림막이 비정형으로 널려 있는 게 얼마나 예술적으로 보이느냐, 등등. 그런데 그런 예술적 감각보다 나는 '사용되지 못하는 아까운 건물이 그냥 서 있구나'하는 실무적 감상에 젖는다.

몇 발자국 건너편에 전시된 사진은 전남 어디라던데 반듯한 10여 층짜리 건물이 꼭 외국의 큰 호텔 건물처럼 우람하고 당당하게 서 있다. 역시 골조만 세워져 있고 내부는 텅 비어 있다. 곡선 모양의 창문 틀이 아름다워 보인다. 큐레이터는 이 큰 건물을 중앙에 포커스를 두고 찍은 좋은 작품이라고 쉴 새 없이 말한다. 귓등으로 건성건성 들으면서 머리를 끄덕이지만, 속으로는 왜 이런 좋은 건물을 그냥 방치하는가? 건축 허가를 내준 지자체는 뭘 하고 있으며 관련 공무원은 알고나 있을까? 해결할 방법이 없겠느냐고 물어보고 싶은 마음이 굴뚝같다.

아마 돌아오는 대답은 뻔할 것이다. "실태조사를 하고 대책을 세우겠습니다." 정도이리라. 아니 국민 세금으로 봉급 받으면서 이런 걸 미리 알아서 실태조사도 하고 알아서 대책을 세워야 할 텐데, 문제가 있다고 얘기하니까 이제야 겨우 실태조사를 한다고? 머릿속에 관료주의에 절어 있는 사람들의 이미지가 투영된다.

시선을 옆 사진으로 옮겼다. 경기도 포천에 있는 한 아파트 밀집 군이다. 아파트 전체가 다 지어졌는데 여기도 모두 비어 있다. 강아지 한 마리 없고 인기척 없는 텅 빈 건물만 무심히 서 있다. 작가의 시선으로 본 기능이 멈춘 건물의 이미지 사진. 진행되지 못하고 멈춰 적막감에 싸인 이 쓸쓸한 건물 사진을 보면서 나는 뭔가 잘못돼 있다고 직감한다. 작가가 그걸 고발하는 것이렷다. 그게 뭘까?

갖가지 이유로 오랜 시간 방치된 건물의 파사드(Facade). 거기에는 우리 시대의 개발 논리가 야기시킨 욕망과 좌절의 현실이 고스란히 담겨있다. 개인의 탐욕과 사회의 구조적 모순이 낳은 문화적 조울증의 한 단면이다. 다시 현실로 돌아와 공허의 미적 감각이 텅 빈 아파트 사진에 어려있다고 열심히 설명하는 큐레이터에게 물어보았다.

그녀 얘기로는 유치권 행사 중이라고 한다. 이 또 무슨 낭비인가?

다음 사진은 아파트 한편에 있는 교회에 포커스가 맞추어져 있다. 벽돌로 예쁘게 쌓아 지은 교회다. 정말 예쁘다. 그런데 정문을 큰 X자 목재로 막아 놓았다. 사용하지 못한다는 표시다. 이건 또 뭐냐? 교회 건물이 완성될 무렵 재정 문제로 교인들 간 의견이 갈려 사용을 못 한단다. 아파트 주민들도 문제가 빨리 해결되기를 바란다는데 당사자들은 자신들의 주장만 한다니 누굴 탓하랴? 아름다운 교회 건물 사진을 보면서 한숨이 절로 나온다. 속으로 "…"이다.

우리나라엔 이런 건물이 큰 것만 세어도 380여 개나 된다고 한다. 지은지 15년이 넘은 건물도 100채가 훨씬 넘는다고 한다. 공사가 중단된 채 방치된 건물들이 도시미관을 저해한다는 것은 누구나 알고 있다. 청소년들의 비행 장소 또는 불량배의 범죄 온상이 될 우려도 있다. 어떤 곳은 쓰레기 불법 투기로 인해 악취가 발생하는 등 주위 환경에 악영향을 끼치고 있다. 공사를 위해 설치된 구조물과 주변에 방치된 건축자재에 대한 관리의 부재로 안전사고가 발생할 가능성도 여전히 남아 있다. 자원 낭비는 말할 것도 없다.

장기간 방치된 빈 건물은 삭아 부서지고 속에 있는 철근도 부식된다는 데, 어이할꼬. "관계자 여러분이여, 당신들은 뭘 하시나? 이런 것도 해결 안 하고." 속으로만 욕하다가 갑자기 한 장면이 머리를 스치며 되살아난다. 언젠가 장애인들이 통행권을 주장하며 지하철을 볼모로 점거해 문제가 생긴 적이 있다. 그때, 한 시각장애인 국회의원이 현장으로 달려가 정치권이 공감하지 못하고 해결 못 해 미안하다고 무릎 꿇고 사과했다. 코드 블루 건물과는 전혀 다른 얘긴데, 왜 이 장면이, 이 기억이 자꾸 내 머릿속에 떠오르는지 모르겠다. 비어 있는 코드 블루 건물 문제를 해결하려는 국회의원이 없어서인가? 해결할 수 있을 것 같기도 한데 말이다.

코드 블루가 선언된 건물들, 누구 탓일까? 왜 이런 건물들이 그리도 많을까? 심정지된 건물의 소생을 누구에게 물어야 하나? 어떻게 해결해야 하나? 건물주인가 시공자인가 아니면 시행사인가? 그도 아니라면 화합하지 못하는 당사자들인가, 허가한 공무원인가, 입으로만 떠드는 정치인인가? 사진에 등장하는 폐허의 이미지들엔 초현실적 환각이 공존한다. 그리고 우리에게 그 아이러니를 경험하도록 유도하고 있다. 아마도 사진작가가 이런 실존적 질문을 던지는 것이리라. "소생을 위한 활력이 소거된 건물 사진은 쇠락으로부터 우리 자신을 지탱할 수 있을까?" 진지하게 생각해야 할 일이다.

5. TV 자막 속도에 유감을

언젠가 라디오에서 정치 대담을 들었다. 출연한 정치인이 말을 느릿느릿하게 해 듣기에 무척 답답했다. 감성 인지능력이 부족한 정치인이다. 사회자도 이를 해소해 보려고 하나 어쩔 수 없는 듯했다. 다시는 그 정치인을 초대하지 않을 것이다. 나도 꾹 참고 듣다가 아예 다른 채널로 돌려 버렸다. 듣는 사람이 답답할 정도라면 청자(聽者)를 비난할 일은 아니고 지루하고 느릿하게 말하는 화자(話者)의 언변을 지적해야 맞다.

느리고 답답한 어투는 그래도 알아들을 수는 있다. 그런데 반대로 빠른 속사포 어투는 알아듣기가 무척 힘이 든다. 우리는 이미 서구 친화적인 교육 효과로 말하는 속도가 빨라졌다. 말을 빨리하는 건 좋지만, 문맥이나 문장이 자주 끊기거나 핵심을 놓칠 정도로 빠르다면, 그건 곤란하다. 언젠가 라디오 방송에서 여성 출연자가 구겨진 옷을 펴고 주름 잡힌 무늬를 살리고 하는 등 세탁에 대해 말하고 있었다. 콩 볶아 대듯 말을 쏟아낸다. 특별히 어려운 단어를 쓰는 것 같지도 않다. 분명히 우리 말인데도 알아들을 수가 없다. 물론 통상적으로 나에게 익숙한 언어를 사용하는 게 아니니까 하며 지나치거나, 때로는 내가 나이 들어 그러려니 하고 생각한다. 그러나 언제부터 우리 말이 이렇게 빨라졌나 하고 한숨이 절로 난다.

라디오 청취도 그렇지만 TV를 시청할 때가 내겐 더 곤란하다. 실제로 많은 TV 프로그램이 화면과 관련된 자막을 친절하게 올려준다. 장애인에 대한 배려도 엿보이고 나이든 사람에 대한 예우도 숨어있는 듯해서 칭찬을 아낄 수없다. 내용을 잘 파악할 수 있게 해주니 고마운 일이다. 나같은 사람에겐 정말 큰 도움이 된다. 그러나 자막을 맡은 미디어 종사자에게 딱 한 마디만 말하고 싶다. 그가 수행해야 할 세심함의 부족, 즉 미세조정에 대한 관심 부족을 알려 주어야겠다. 자막을 읽으면서 TV를 시청하는 사람의 입장을 거의 배려하지 않는다는 느낌 때문이다.

영상을 설명하는 자막을 다 읽기도 전에 자막이 스르륵 사라진다. 반 정도 읽었을 뿐인데 끊긴다. 1초도 안 돼 자막이 사라져 버린다. 청력에 신경 쓰지 않고 자막을 보느라 시력에만 집중하고 있던 나로서는 자막이 사라질 때마다 황당하다. 나는 평생 읽는 일과 가르치는 일에 종사했기에 글자를 빨리 읽는다고 자부하는 편이다. 그런 내가 TV 자막 속도를 따라가지 못한다니, 허 참! 기가 막힐 노릇이다. 참고로 나는 나이가 들긴 했으나 특별히 눈이나 귀가 약하진 않다. 자막을 반쯤 본 것으로 의미를 파악해야 한다면, 그게 시청자 탓일까? 이런 지경이라면 왜 자막을 내보낼까? 도대체 누가 자막을 담당하는지 은근히 화가 난다.

한편 영상 내용에 따라 자막이 바뀌어야 하는데 자막이 화면을 따라가지 못할 때도 있다. 화면은 이미 바뀌었지만 자막은 요지부동이다. 자막과 화면 내용이 맞지 않는다. 한참 후 화면에 맞는 자막이 허겁지겁 따라오지만 그걸 다 읽기도 전에 또 후딱 사라진다. 이 정도면 자막을 다루는 이가 욕을 먹어도 변명의 여지가 없다. 원칙이 없어서인지 성의가 없어서인지는 모르겠지만, 어쨌든 자막 사라지는 속도가 너무 늦거나 빠르다. 한두 번 정도 그렇다면야 갓 들어온 직원이 한 일이겠거니 하겠는데, 계속 반복되니 문제다.

장기간 시청자를 배려하지 않는 방송은 당연히 시청률이 떨어질 것이다. 훈련 없이 인력만 배치한다고 방송이 제대로 진행된다고 생각하면 그건 어불성설이리라. 어물전 망신은 꼴뚜기가 시킨다고 그랬나? 좋은 프로그램도 이쯤 되면 옥에 티가 된다. 시청자를 배려하는 방송이 송출되기를 바란다.

6.   "이 일을 해도 되겠습니까?" "하시오"

대학마다 은퇴한 고위 관료 몇 분을 충원 필요에 따라 채용할 수 있는 제도가 있다. 대학에서 이들을 교수로 채용하면 교육부가 3년 동안의 급여를 지원해 준다. 재정 부담 없이 교수를 충원하게 되는 대학은 쌍수를 들어 환영한다. 우리 대학도 얼마 전에 A 교수를 이 제도에 따라 채용했다. 그는 전직 고위 관료 출신이다. 그가 채용된 뒤 한 달쯤 지났을까, 나를 찾아왔다. 고맙다고 인사를 한다. 차를 나누면서 기분 좋은 대화가 오간 후, 그가 한 말이다.

"~~~일을 하고 싶은데 해도 되겠습니까?"

그는 자기가 하고 싶은 일을 자세히 설명하고는 내게 묻는다.

"제가 이 일을 해도 되겠습니까?"

"그 일을 꼭 하고 싶소?"

"네, 하고 싶습니다."

"그렇다면 해 보시오."

기분이 좋아진 A 교수가 내 방을 나갔다.

A 교수는 이미 다 아는 것을 내게 묻고 있다. "이 일을 해도 되겠습니까?"라는 질문은 두 가지 측면으로 해석할수 있다. 하나는 어떤 일을 하고 싶은데 혹시 나중에 책임질 일이 자기에게 돌아올까 봐, 상급자요 총장인 내게 알리고 지시 내지는 허락을 받으려는 것이다. 자기 책임하에 얼마든지 할 수 있는 일인데도, 만일의 경우 자신에게 책임이 돌아오거나 불이익이 생길지를 먼저 챙겨놓고 일하겠다는 것이다. 아무리 공익에 부합해도 나중에 책임질 일이 생길 것 같으면 허락해 주어야 하지 스스로는 하지 않겠다는 태도다. 면피할 생각부터 먼저 한다. 요즘 우리가자주 보는 관료들의 전형적인 보신주의 태도와 별반 다르지 않은 모습이다. 사회가 불안하면 이런 관료가 늘어난다는 데, 이런 얘기를 직접 접하게 되니 마음이 편치 못하다.

또 하나의 측면은, 내게는 더 중요한 것인데, "이 일을 해도 되겠습니까?"라는 질문 속에 숨어있는 의미다. 하고 싶은 일이 있는데 그 일을 할 수 있는 조건을 갖춰주면 해보겠다는 의미다. 일할 수 있는 조건이 모두 완비되어야만 일할 수 있다는 태도다. 우리 대학은 벤처를 중요하게 여겨, 교수님들에게 벤처 정신을 잊지 않도록 늘 당부해 왔다. 주위 환경이나 조건이 적절치 않아도 하고 싶으면 모험이라 해도 하는 것이 벤처요, 벤처 정신이다. 이런 정신은 그 누구도 말릴 수 없다. 그런데 나와 대화한 A 교수는 그렇게 이해하고 있지 않음이 분명하다

몇 달이 지난 후 A 교수를 다시 만났다. 얼굴색이 별로 좋아 보이지 않는다.

"차 나 한잔합시다."

하고 내 방으로 함께 가 얘길 들어 보았다.

"하려던 일은 잘 진행됩니까?"
"아니요."
"왜 무슨 일이 있습니까?"

대답을 주저하다가 마지못해 말을 꺼낸다.

"총장님이 저보고 그 일을 하라고 명하셨지요."

"아니 명한 게 아니고, 하고 싶다니 하시라고 했지요. 그런데 무슨 문제가 생겼습니까?"

"..."

"말 못 할 무슨 사연이라도 생겼습니까?"

"아닙니다. 전에 총장님께서 허락하셔서 그 일을 하려고 하는 데, 아무런 지원이 없어 하지 못하고 있습니다."

"아니 무슨 지원이 필요한데요?"

"예, 제가 일하려는데 직위가 없습니다. 인력도 지원해 주셔야 하는데… 그리고 예산이 없어 손도 못 대고 있습니다."

"아 그래요? 교수님께서는 학교에 처음 오셨을 때 우리 학교가 벤처를 중요시하는 학교라고 여러 번 얘기드린 것 기억하십니까?"

"네 기억하고 있습니다."

"돈이 필요하다고 하셨지요? 저나 학교엔 돈이 없어요. 돈은 은행이나 펀드 또는 재력가에게 있지요. 그들에게서 재원을 조달하셔야지 제게 달라시면, 저는 드릴 재원이 없어요. 그리고 사람이 필요하다고 하셨는데, 고급인력이 우리 학교만해도 Ph.D. 학위나 그와 동등한 자격을 가진 전문가 교수만 500여 명이 있습니다. 그리고 주위에 대학이 10여 개가 넘는데 그 학교의 교수들까지 합하면 수천 명이 될 텐 데, 사람이 없다고요?"

"..."

"직위가 필요하다고 하셨습니까? 실제로 일을 하시면서 직위 때문에 일이 안 된다면 말씀하십시오. 제 권한 안에서 얼마든지 직위를 부여해 드리겠습니다. 교수님께서 하시고 싶은 일을 스스로 하고 싶다고 하셨는데, 아무 일도 안 하셨잖아요."

"..."

A 교수는 묵묵부답이다. 지시한 상급자가 일할 조건을 만들어 주지 않았으니 일을 하지 않은 자기책임은 없다고 변명할 준비를 해 놓았는데, 내 말이 자기 생각과 달리 엉뚱하니까 말을 못 하는 것 같다. 오랫동안 관료로서 근무했던 탓일까? 아마 예산과 수하 직원과 직위를 가져야만 일을 할 수 있다 믿는 관료적 사고에서 탈피하지 못해서 그럴 것이다. 결국 A 교수는 그 후 얼마 안 돼 사직하고 말았다. 아직은 체질에 맞지 않는가 보다.

원래 규정은 논의를 거쳐 최종 단계에서 탄생한다. 이런 절차와 과정이 있으나, 공익이나 시급한 안전이 걸린 문제는 규정 채택 이전이라도 선결 처리할 수 있어야 선진 사회라 할 수 있다. 요즘은 모든 것이 빠르게 돌아가는 디지털 전환 세상이다. 이런 시대에 예전에 정해진 규정만을 고집하고, 규정에 없는 일은 절대 하지 않는 이들에게 자유로운 판단이란 아예 없다. 남들이 모두 출발한 후에 규정이 제정되고 나서야 부여된 일에 착수하는 바보가 된다. 이미 그 일은 할 필요가 없어졌는데 말이다.

평소 이들은 예산이 있고, 직위가 있으며, 인력이 있어야만 일에 착수한다. 나는 이렇게 조건이 충족되어야만 일하고 안전한 길을 걷는 사람을 관료라 부른다. 디지털 시대에 이런 관료적 태도로는 시대 흐름에 뒤처진다. 최고가 될 수 없다. 벤처 제일을 주장하는 내가 관료들과 함께일할 때 늘 부딪치는 것은 일의 경중이나 사람 사이의 성격 때문이 아니라, 그들의 관료적 발상에 따른 업무처리방식 때문이다. 시간을 다투는 창발적 업무에 일하는 방식이 달라서다. 누가 옳고 옳지 않은지를 따지기에 앞서이런 태도를 갖는 관료들을 접할 때마다 나는 속으로 무척 답답함을 느낀다.

한때 고위 관리였던 A 교수가 교수직을 사임한 일을 떠올리며, 나는 그의 리더십을 생각해 본다. 나는 리더십을 라이좀(Rhizome) 리더십과 노블레스 오블리주 형식의 리더십으로 나눈다. 라이좀 리더십은 마치 감자가 뿌리 곳곳에 달리듯 각자 스스로가 리더로서 역할을 하되, 소속된 조직 전체는 느슨하게 이어져 있는 형태다. 이에 비해 노블레스 오블리주 리더십은 위에서 지시하면 일사불란하게 움직이는 형태다. A 교수의 대답은 전형적인 노블레스 오블리주 리더십에 익숙해진 교수의 대답이다. 라이좀 리더십을 선호하는 나는 그에게 이렇게 묻고 싶다. "자기가 하고 싶으면 하는 것이지, 굳이 묻는 것은 모르는 게 아니라 책임지기가 싫어서지."라고 말이다. 내가 너무 나갔나?

5부

교양을 교육으로 보다

1.   명성(fame)과 명예(honor)

유명한 사람을 많이 취재했던 뉴욕 타임스의 게이 탈리즈 기자는 그들과 인터뷰를 끝낼 무렵엔 실망을 많이 했다. 유명한 사람에게 가졌던 기대는 사라지고, 또 하나의 속인(俗人)을 만났다는 느낌만 들어서란다. 유명한 사람이 훌륭한 사람이라고 생각했는데 실상은 유명한 사람이 인기 있는 사람일 뿐이었다는 것이다. 사람이 유명해지려고만 한다면 그 인생은 완전히 지는 영패(零敗)의 영역에 있음을 기자는 말한다.

광고 상품과 좋은 상품을 착각하듯이 우리는 인기 있는 사람과 훌륭한 사람을 착각하곤 한다. 인기를 누리는 사람은 명성(fame)을 추구하는 사람이고, 훌륭한 사람은 명예(honor)를 중요하게 여기는 사람이다. 명성이란 내가 여러 길을 통하여 얻을 수 있지만, 명예란 내가 붙잡는 것이 아니라 남들이 나에게 붙여주는 것이라는 점에서 근본적으로 다르다. 유명한 사람은 많아도 훌륭한 사람이 적은 이유도 거기에 있다. 명성과 명예는 같지 않다.

단순해야 진리에 가까울 수 있다고 하는 사상을 '오컴의 면도날'이라고 부른다. 14세기 영국에 오컴의 윌리엄이라는 철학자가 있었다. 그의 철학적 명제는 '원칙이란 불필요하게 곱하면 안 된다'는 것이다. 맑은 사고를 저해하는 불필요한 것이나 복잡한 것은 모두 면도질해야 진리에 접근할 수 있다는 뜻이다. 복잡하거나 곁가지가 많으면 '오컴의 면도날'로 비본질적인 가지를 제거하면 된다. 대체로 단순한 사람 중에 훌륭한 사람이 많다. 술수를 써 명성을 쌓은 정치인에게는 단순한 삶이 힘든 숙제일 것이다. 그러나 훌륭한 지도자는 맑고 담백한 사고를 한다. 그럴 때 오히려 명예가 따른다.

한 사진작가가 아인슈타인에게

"교수님은 어째서 양말을 신지 않습니까?"

하고 물었다. 그러자 그는 바지춤을 조금 치켜들고 맨발에 허름한 구두를 걸치고 있는 자신의 발을 보며

"고기는 변변치 않은데, 그릇만 좋을 순 없지."

라고 대답했다고 한다. 아인슈타인의 삶을 다룬 『너절한 셔츠 속의 천재』라는 책에 나오는 얘기다. 양말로 포장할 만큼 훌륭한 인간이 아니라는 유머다.

사진작가는 이 대화에서 아인슈타인의 담백한 모습을 기억하고 있다. 아인슈타인의 어린아이 같은 단순함, 연구 외에 한눈팔지 않는 생활이 작가에게는 훌륭한 사람의 조건처럼 여겨진 것이다. 명예를 얻은 사람의 삶의 한 단면이다. 다시 말해 그것은 한길만 걷는 조용한 정렬이다. 이곳저곳 기웃거리지 않고 한길만 꾸준히 뚜벅뚜벅 걸어가는 삶 말이다. 명예를 소중히 여기는 사람은 이렇게 산다.

2. 멋있고 품격 있는 유머를 찾아서

유머가 무엇인가? 말로 웃음 짓게 하거나 분위기를 부드
럽게 이끄는 언어작용이다. 유머는 상대가 전혀 기대하
지 않았던 말이 갑자기 튀어나와 반전을 이룰 때 생긴다.
말 한마디로 좌중이 긴장을 풀고 파안대소하면 그것이
유머다. 스트레스가 확 풀린다. 이런 유머는 난처한 상황
타개에 아주 좋은 방법이다. 제2차 세계대전 직후, 영국
의 처칠 수상을 궁지로 몰려고 빌미를 찾던 한 야당 의원
이 회의에 항상 지각하는 수상을 비난했다. 처칠은 빙그
레 웃으면서

"예쁜 부인과 살아 보게나. 아침에 일어나기가 그리 쉽나."

라 대꾸했다고 한다. 의원들이 와~ 하고 웃으면서 비난

은 그것으로 끝났단다. 정치적 공격을 유머로 멋있게 받아치는 장면이다. 적절한 유머는 난처한 상황을 바꾸는 정치적 윤활유 역할을 한다.

한 나라의 지도자가 멋있는 유머를 할 수 있느냐 없느냐로 선진국 여부를 평가한다면 지나친 생각일까? 유머를 잘 구사하는 영국 지도자의 유머 감각이 부럽다는 생각이 문득문득 들곤 한다. 유머 감각은 누군가에게 웃음을 주고 즐거움을 제공하는 능력이다. 우리나라 정치 지도자들도 유머를 주고받으면서 부드럽게 정치한다면 참 좋겠다. 그러면 나는 세금 많이 내도 절대로 억울해하지 않겠다. 정치인만 아니라 유머 감각이 풍부한 이들이 여러 분야에 포진하기를 바랄 뿐이다.

유머는 사람들이 서로 어울릴 때 그 진가를 발휘한다. 지금은 코로나 팬데믹으로 사람을 만나는 기획가 많이 줄어 사회 활동이 위축되었다. 유머라는 무형의 자산이 사라질까 걱정이다. 게다가 길가는 이들 대부분이 휴대폰에 코 박고 다니니 유머가 자리잡을 공간은 더더욱 없다. 어떤 의미에서 유머는 그 시대를 사는 사람들의 시대상을 반영한다고 한다. 사람들과의 사귐을 통해서가 아니라, 이미 손안에 쥔 기기의 노예가 된 우리가 진정한 유머를 즐길수 있을까?

미국 유학 시절에 나는 유머를 이해하고 가까이하려고 애썼으나 쉽지 않았다. 의사소통 정도의 영어 실력과 글줄이나 좀 읽는 것 가지고, 영어로 유머를 한다는 것은 무리다. 먼 훗날에나 가능한 일이다. 그러나 실은 언어 구사 능력보다 더 중요한 요소가 있다. 미국인의 생활 스타일이 나와 다르다는 점이다. 그들의 언어와 문화에는 그들만이 이해하는 마술 같은 감정이 담겨있는데, 내게는 그런 감정이 몸에 배어 있지 않았다. 일상에서 눈짓만 해도 통하는 공감대가 있어야 유머가 되는데 그게 없으니 유머가 통할리 없다. 썰렁할 뿐이다. 유머는 유머를 나눌 수 있는 환경에서 활력을 얻게 된다.

오늘 우리 사회에서 유머를 구사할 수 있는 여건과 여유가 넉넉하지 않아 유머가 낯설 수밖에 없다. 유머랍시고 한마디 던졌는데 아무도 웃지 않고 그냥 멀뚱히 쳐다만 본다면 유머를 한 사람은 머쓱해질 수밖에 없다. 그런 유머는 차라리 하지 않는 것이 낫다. 반대로 사람들이 유머를 주고받으며 웃음꽃이 피는데, 유머의 맥락과 의미를 몰라 웃을 때 웃지도 못하고 멍하니 있으면 그 사람은 그저 뭐 꿔다 놓은 보릿자루다.

그래서인지 좋은 유머를 구사하는 청소년이 거의 보이지 않는다. 청소년들이 정제되지 않는 저질 농담을 수시로 내뱉곤 하는 것이 현실이다. 유머라기보다 언어유희를 즐기는 청소년들이 의외로 많다. 원인을 찾자면 아마도 이들을 둘러싼 유머 환경이 경직된 데 있을 것이다. 건강한 유머를 구사할 수 있도록 주위 여건을 조성해 줄 필요가 있다. 우아한 유머를 구사하는 어른을 자주 만나게 하는 것도 하나의 방법이겠다. 유머를 배우면서 이들에게 유머 감각이 생기고, 유머와 가까워지면 싸움이나 폭력도 줄어들 것이다. 유머 한 마디로 타개할 수 있는 일이 우리 주위에는 비일비재하니까 품격있고 우아한 유머의 일상화는 우리 사회를 정화 시키기에 매우 바람직함을 잊지 말자.

유머를 일상으로 즐겨 썼던 레이건 대통령은 어려운 문제를 슬쩍 유머로 바꾸어 현안을 해결했고 인기도 잘 유지했다. B-1 폭격기의 생산을 반대하는 의회에서 레이건 대통령이 이렇게 능청을 부렸다.

"그게 비행기였던가? 나는 군인들의 비타민인 줄 알았는데…"

비타민 운운은 없어서는 안 될 필수품임을 암시한다. 유머 속에 자신이 말하려는 핵심이 다 들어있다.

또 한 번은 백악관에서 연주회가 끝났을 때, 무대로 올라가던 낸시 여사가 실수로 발을 헛디뎠다. 얼굴이 빨개진 낸시가 당황해 하는데, 레이건이 큰 소리로 말했다.

"여보, 분위기가 썰렁해서 박수가 필요할 때 넘어지기로 하지 않았소?"

그 순간 많은 사람이 큰 박수와 환호를 보냈다고 한다. 정말 누구 말대로 유머는 명석함과 단순성을 겸비한 현자의 품격이다.

유머를 잘 쓰면 이렇게 분위기를 바꿀 수 있는 묘미가 있다. 분위기만 바꿀 뿐 아니라 주위 사람을 유쾌하게 하고 즐겁게 해 준다. 전술했듯이 품격 있는 유머는 사회를 건강하게 유지하고 활력을 더하게 한다. 즐겁고 멋있는 유머는 또한 사는 맛을 풍요롭게 한다. 아니 삶이 풍요로울 수밖에 없다.

언어와 문화를 어우르는 좋은 유머는 시대를 초월해 전해지기도 하고 새 버전으로 재창조되기도 하기에 시간과 세월에 얽매이지 않는다. 그리고 유머가 지성과 만나면 더 멋있고 우아한 유머가 넘쳐흐를 게 분명하다. 이런 유머는 이웃과 부드러운 관계를 지속하게 하고, 더 나아가 정치발전, 사회 개선, 문화 창달로 이어질 수 있을 것이다. 이것이 내가 멋있는 유머가 사회의 대세가 되기를 지지하는 이유다.

감성과 인간미 없는 무미건조한 지식 만능주의 환경에서 상상이 꽃필 수 없고 멋있는 유머가 나올 리 없다. 하여 상상력을 키우고 삶의 모든 영역에 인간다움을 유지해야 할 필요가 있다. 유머가 개입할 수 있는 지점이다. 물론 철학적 기초가 있으면 더 좋을 것이다. 나는 유머를 유머로 들을 수 있는 사회, 유머의 품격이 유지되는 사회, 유머로 여유를 구가하는 사회, 그런 격조 높은 사회에서 살고 싶은 꿈이 있다. 마치 마르틴 루터 킹 목사가 꿈꿨던 것처럼 'I have a dream!' 나도 꿈을 꾸어 본다.

3. 품격 있는 말, 말, 말

사람의 인격은 그가 하는 말로 평가된다. 어떤 말을 쓰느냐에 따라 그 사람의 사람 됨을 알 수 있다. 진실함이 배어있는 말은 상대를 감동하게 한다. 정제된 언어 구사까지 더하면 품위가 격상된다. 영향력을 발휘하는 명언도 된다. 일반적으로 대통령의 연설은 참모들이 써 주어 대체로 깔끔하고 유려한 문장으로 나타난다. 그러나 사실은 참모보다 대통령 스스로 하고 싶은 말을 진실하게 말하는 것이 더 호소력이 있다. 진정성이 그 속에 있으니까.

정치인 중에 기억에 남는 명언을 남긴 지도자가 있다. 미국의 에이브러햄 링컨 대통령은 남북전쟁 기간 중 가장 치열한 전투가 있었던 게티즈버그를 방문했다. 국립묘지 헌정식이 있는 자리에서 연설했는데 바로 저 유명한 게

티즈버그 연설이다. 민주적 신념을 잘 나타내는 간결하고 명료한 내용이다.

"국민의, 국민에 의한, 국민을 위한 정치가 지상에서 사라지지 않도록 합시다."(the government of the people, by the people, and for the people, shall not perish from the earth)

이 구절은 그가 미리 써 두었던 원고가 아니다. 연설 직전 기차 안에서 요점만 메모했던 것이라는데, 역사에 남는 훌륭한 명언이 되었다. 평소에 늘 생각하던 민주주의의 철학이 담겨 있기 때문이다.

케네디 대통령의 연설은 어떤가? 1961년 동서 냉전이 한창이던 때, 미국인들은 소련과 전쟁에 돌입할 수도 있다는 공포가 있었다. 사람들은 국가가 무엇인가 해 주기를 기대했다. 그러나 케네디는 역설적으로 그들에게 물었다.

"국민 여러분, 조국이 당신을 위해 무엇을 해 줄 것인가를 묻지 말고, 당신이 조국을 위해 무엇을 할 수 있는가를 물어보십시오."(My fellow Americans: ask not what your country can do for you, ask what you can do for your country)

미 국민을 단합시키고 나아가야 할 길을 제시한 20세기의 명언으로 꼽힌다.

또 연설이라면 누구에게도 지지 않을 미국 대통령이 있다. 흑인 대통령 오바마다. 그의 연설은 지성적이면서도 호소력이 짙다.

"우리 국가의 힘은 우리가 가진 무기의 힘도, 부의 힘도 아닌, 우리가 가진 인내할 수 있는 이상으로부터 나왔습니다."

오바마는 지지자 7만 6000명이 모인 덴버 인베스코 풋볼 경기장에서 대통령 후보 지명 수락 연설을 하면서 이렇게 말했다.

"정부는 우리를 위해서 일해야지 우리와 대적하면 안 됩니다. 정부는 우리를 보호해야지 해(害)를 끼쳐서는 안 됩니다. 정부는 … 일할 의욕이 있는 모든 미국인을 위하여 기회를 보장해야 합니다."

수많은 사람이 환호할 만한 연설이었다.

미국만 그런가? 우리나라 대통령들도 이에 부족함 없는 연설을 했다. 이승만 대통령은 한 연설에서

"뭉치면 살고, 흩어지면 죽는다."

는 유명한 명언을 남겼다. 힘을 합쳐 난관을 극복하자는 호소였다. 그러나 최근 코로나 바이러스 감염이 늘어 사회적 거리 두기가 강조되면서 이 명언이

"뭉치면 죽고 흩어지면 산다."

로 둔갑해 사람들의 입에 오르내린다. 명언을 빗대 뒤집은 아이러니다. 한편 문재인 대통령은 그의 취임식 연설에서

"기회는 평등할 것이며, 과정은 공정할 것이고, 결과는 정의로울 것입니다."

라는 가슴에 와닿는 품격 있는 훌륭한 말을 언급했다. 문장 자체로도 멋있는 명언이다. 나는 이 말에 감동되어 그런 세상이 오기를 진심으로 바라고 있다. 그의 말대로 될지는 두고 보아야 할 일이지만 말이다.

얘기하다 보니 영향력 있던 정치 지도자들 얘기만 했다. 다른 분야에서도 품격 있는 좋은 말을 찾아볼 수 있다. 2018년 평창 동계 올림픽을 앞두고 피겨 스케이터 김연아가

UN 총회장에서 한 '평화 올림픽을 위한 연설'은 짧지만 깔끔했다.

"…전 세계 인종, 언어, 종교의 장벽을 무너뜨리는 스포츠의 힘에 대한 이야기를 하고 싶습니다… 저는 올림픽이 어떤 나라, 어떤 종교, 어떤 믿음의 것도 아니라는 것을 추가하고 싶습니다."

연설은 적당한 길이와 질적 수준, 그리고 공감대가 필요한 것인데 김연아의 연설은 이에 맞춰 보아도 훌륭했다. 한편 서정시인 나태주는 짧은 시(詩)로 절제의 아름다움을 보여준다. 풀꽃 '자세히 보아야 예쁘다. 오래 보아야 사랑스럽다. 너도 그렇다.' 단순하고 소박한 한 편의 시다. 그러나 잔잔하게 밀려오는 감동은 크다. 말로 무어라 표현하는 것이 오히려 거추장스럽다. 그저 아름다운 시로 기억하고프다. 시도 명언은 명언이니까.

1963년 8월, 25만 명의 사람들이 유색인종의 권리를 주장하기 위해 워싱턴 DC의 링컨 메모리얼 광장에 모였다. 여기서 마틴 루터 킹 목사는 "I have a dream."이라는 명연설을 남긴다. 간결한 문체와 평이한 말, 그리고 적절한 비유가 적재적소에 들어가 있다. 이 연설은 인종을 초월한 모든 사람에게 강한 호소력과 동질감을 느끼게 한다.

"나에게는 꿈이 있습니다. 모든 인간은 평등하게 창조되었다는 자명한 진실이 받아들여지고 그 진정한 의미가 신념으로 실현되는 날이 오리라는 꿈입니다. 나에게는 꿈이 있습니다. 조지아주의 붉은 언덕에서 노예의 후손들과 노예 주인의 후손들이 형제처럼 손을 맞잡고 나란히 앉게 되는 꿈입니다. 나에게는 꿈이 있습니다. 내 아이들이 피부색을 기준으로 사람을 평가하지 않고 인격을 기준으로 사람을 평가하는 나라에서 살게 되는 꿈입니다. 나에게는 꿈이 있습니다. 앨라배마주에서 흑인 어린이들이 백인 어린이들과 형제자매처럼 손을 마주 잡을 수 있는 날이 올 것이라는 꿈입니다."

과연 노벨상을 받을만한 수준의 말이다. 이런 품격 있는 명언을 남긴 사람은 이 외에도 많다. 철학자, 종교인, 작가, 교수 등 셀 수 없이 많은 사람이 좋은 말들을 남겼다. 일일이 그 내용을 모두 소개할 수는 없으나 품격 있는 말이 어떤 것인지는 위에 든 몇 가지 예로도 충분할 것이다. 품격 있는 말은 그 사람의 됨됨이를 파악할 수 있는 하나의 척도다. 그들의 말을 들으면서 진실함을 느낄 수 있어서다. 다만 우리가 해야 할 말을 하지 못하거나, 하지 말아야 할 말을 하지 않도록 늘 조심해야 한다. 절제된 언어와 감동적인 얘기로 품격 있게 말하는 습관을 들이면 좋겠다.

4. "내가 원하는 답은 이게 아니잖아."

초등학교 3학년 여자아이의 글이다.

나는 아침에 일찍 일어났다. 엄마가 차려준 아침밥을 먹고 학교에 갔다. 친구들과 함께 공부하고 놀았다. 가기 싫은 학원에도 갔다 왔다. 우리 엄마는 학원 안 가면 야단친다. 나는 우리 엄마가 제일 무섭다. 그래도 나는 엄마를 좋아한다.

아이들의 글을 읽어보면 단순하면서도 분명하다. 복잡한 것이 없다. 주어 동사가 제자리에 있다. 어른들의 글처럼 복잡한 수사나 문장의 꼬임이 없어 읽기 쉽다. 글만 그런 게 아니다. 말도 그렇다. 어린아이가 쓰는 언어는 꾸밈이 없다. 그래서 아이들이 하는 말을 들으면 항상 맑고 순수함을 느낀다. 그런데 언제부터인가 아이들이 말하는 투가 달라졌다. 순진함이 사라지는 것 같아 안타깝다.

초등학교 저학년으로 보이는 여자아이가 전화를 받는다. 아이가 큰 소리로 말해서 듣게 되었다.

"내가 원하는 답은 이거 아니잖아."

초등학교 저학년 아이들이 쓰는 말이 아니다. 어린이 말투가 아니다. 어른이 쓰는 말이다. 무엇이 이 아이의 말투를 어른이 쓰는 말투로 바뀌게 했을까? 요즘 아이들이 조숙해서 그런가? 꼭 그런 것만 같진 않다. 곰곰이 생각해 봤다. 그랬더니 아하, 거기엔 아이들이 다니는 학원이 있었다. 아이들이 학원에 가는 것은 이미 어릴 때부터의 관행이다.

어린아이 수준이면 그냥, "답이 이거 아냐." 정도가 정상이다. 그런데 "내가 원하는 답이 이거 아니잖아."는 성인들의 어법이다. 이런 말투가 아이들에게서 나왔다면, 집에서 그렇게 교육했을 리 없고, 학교에서도 그렇게 교육했을 리 없다. 필경 학원에 다니면서 자연스레 입에 밴 것 아닌가 한다. '내가 원하는~'이라는 어법은 아마도 학원에서 선행학습을 하다 보니 생긴 용어이리라.

정해진 교육과정보다 앞서 행하는 선행학습은 아이를 빨리 어른이 되도록 유도하는 수단이 아니다. 아니면 아이의 논리력 향상을 위함일까? 그것도 아닌 듯하다. 오직 앞으로 다가올 입시를 위한 예비 학습일 뿐이다. 다른 아이보다 뒤 쳐질 수 없다는 부모 욕심의 산물이다. 지나친 교육열은 부작용으로 나타나기 일쑤다. 그래서 아이답지 않은 어법이 등장한 것 같다. 어릴 때부터 아이를 학원에 보내 아이다움을 잃게 하고 웃자란 채소처럼 키우는 것이 잘하는 일인지 묻고 싶다. 답답한 심정을 떨칠 수가 없다.

그런데 엄마들은 아이를 학원에 보내지 않으면 안절부절 못하고 불안해한다. 다른 아이들이 학원에 가니 내 아이도 꼭 보내야겠다는 것이다. 교육적 검토가 충분하지 않은데도 선행 지식을 주입 시키는 것, 다시 한번 생각해 보자. 공부 많이 시키겠다는데 내가 괜히 쓸데없는 말을 하는지 모르겠다. 물론 직장 생활을 하는 엄마라면 아이의 하교 시간과 자신의 퇴근시간을 맞추기 힘들다는 이유나 다른 어떤 이유로 학원 등록의 당위성을 주장할 수도 있겠다. 이런저런 생각을 하면서 나는 쪼그만 녀석이 고사리손에 왕만한 휴대폰을 삐딱하게 잡고 하는 통화를 한참이나 지켜보았다. 쯧쯧.

5.　개똥 화용론(話用論)으로 말하자면

영특한 한 후배가 내게 묻는다.

"총장님은 내가 밥 살 때마다 왜 말을 바꿉니까?"

"무슨 말이야."

"아니, 가성비가 좋은 밥을 먹자 하시고는, 뻑적지근하게 밥
값 5만 원을 내게 하잖아요?"

"내가 그랬나?"

"그리고 '이번엔 돈 좀 써야 할 거야' 하시곤 막상 식당에서
는 8천 원짜리 된장찌개를 먹고요."

"그게 뭐가 이상한데?"

"말과 행동이 다르단 거죠."

"그~~~런가. 나는 말이야, 된장찌개가 좋아. 한국 사람치고
된장찌개 먹고 배 아프다는 사람 못 봤어. 그래서 된장찌개

를 선호하지. 비싸도 돼. 그게 이상한가? 진짜 밥 가격은 식
당 벽이나 메뉴에 있는 게 아냐. 그건 주인이 정한 가격이지.
내가 정한 게 아냐. 밥은 내가 먹으니 내 입맛에 따른 가격
이 진짜 밥값이야. 그리고 내가 밥값을 늘 아는 것도 아니고.
그런데 내가 무슨 말을 바꿨다는 거야? 나는 화용론을 선호
하는 사람이잖아."

"낑낑…"

이런 대화를 하면서 즐겁게 밥을 먹는다. 후배가 밥을 사
주지 않겠다는 것이 아니므로 안심하면서 말이다. 그리
고 내가 생각하는 논리를 다시 차근차근 펼친다. 음운론,
통사론, 구문론, 의미론, 화용론 등을 들먹이며 제법 그럴
듯하게 설을 펴면, 후배는 그걸 개똥 논리라고 폄훼한다.

딴지 거는 후배가 더 중요한 것과 덜 중요한 것을 구분하
면 좋겠다. 그래야 앞뒤를 바꾼다거나 위아래를 뒤바꿀
수 있음을 알게 될 테니까. 물론 이렇게까지 꼭 알려줄 필
요는 없겠으나 언젠가는 그도 심오한 철학이 거기 들어
있음을 터득하게 될 것이다. 미술에 강력한 채색의 도입
자로 알려진 야수파 화가 마티스가 아내의 초상화를 그
렸는데 얼굴을 파란색으로 얼룩덜룩하게 덧칠한 것처럼
그렸다. 물론 마나님은 화가나 일주일 동안 말도 안 하고
지냈다고 한다. 생각 없이 내 말을 들으면 억지스럽겠지

만, 찬찬히 곱씹어 보면 내 말을 이해할 수 있을 것이다.

세상 경험 많은 동생이 순진한 형에게 한마디 한다.

"형님도 내 나이가 돼 보슈."

어떻게 형이 동생의 나이로 회귀할 수 있을까마는 우리의 대화에선 자주 접할 수 있는 표현이다. 누군가가 하고 싶은 일이 있는데 난관이 있어서 내게 묻는다.

"해야 합니까?"
"네, 하십시오."
"하지 말아야 합니까?"
"네, 하지 마십시오."

무슨 말인가? 자기가 스스로 알아서 할 일인데 구태여 내게 물을 때 하는 대답이다. 비논리적이어도 무슨 뜻인지는 알 수 있다. 이런 화법을 나는 화용론(話用論)이라고 이해한다. 대화를 통해 의사를 소통하는 방법이다. 문법보다 뜻을 말한다.

요즘 소통, 소통하는데 짧게 말해야 소통이 잘된다나. 그래선지 길고 어려운 말을 짧고 쉽게 줄여 사용하는 경우가 많다. 어떤 때는 너무 줄여서 무슨 뜻인지 모를 경우도 있다. 말 줄이기가 지나치면 안 되겠지만 의미만 잘 통할 수 있다면야 무슨 문제가 있을까? 물론 국문학자들은 싫어할 테지만 그건 그들이 걱정할 일이고, 나는 화용론적인 표현이 별로 나쁘지 않다. 개똥 화용론이라 해도…

6. 1999년과 2022년의 러시아

20세기를 마감하는 해 2월에 지인들과 함께 2주 여정으로 튀르키예와 그리스 여행을 했다. 여행 일정은 인천공항에서 직접 이스탄불로 날아가는 것이 이상적인 여정이였다. 그러나 일정과 항공기 예약 등의 이유로 부득이하게 직항로 대신 러시아 항공을 이용해야 했다. 모스크바를 경유하기로 했다. 의도한 것은 아니지만 여정이 하루 더 잡혔다. 귀국 후 짧은 여행 감상문을 써 달라는 요청이 있어 러시아를 방문했던 때의 첫인상과 느낌을 적어본다. 비록 하루 머문 것에 불과했지만 나는 잠시 러시아를 관찰하는 계기를 얻었다. 실제로는 관찰이 아니라 그저 첫 느낌이라 해야 옳을 것이다.

인천공항에서 러시아 비행기를 탔다. 비행기 내부는 세

련과는 거리가 멀지만 그래도 좌석 사이의 간격이 넓어 편하기는 했다. 예상했던 대로 스튜어디스의 봉사는 대한항공이나 아시아나에 비할 수준이 아니었다. 말을 걸어도 무뚝뚝하다. 식사는 그럭저럭 먹을 만했고 화장실도 괜찮았다. 다만 비행기 보험이 없다는 점이 마음에 좀 걸리긴 했다. 그래도 한때 과학 기술이 세계 첫째, 둘째 하던 나라였으니 안전 운항을 믿기로 했다.

긴 비행 후 모스크바 공항에 착륙했다. 러시아 조종사의 조종 실력은 인정해 주어야겠다. 언제 착륙하는지도 모르게 슬쩍 착륙한다. 활주로와 유도로를 주행하는 동안 눈이 많이 와서 그런지 창밖으로 보이는 풍경은 꽤 낭만적이었다. 그러나 공항 건물에 발을 들여놓자마자 맞닥뜨린 현실은 한마디로 "낭만적인 꿈 깨"였다. 원래 우리의 여정 상 목적지는 러시아가 아니었다. 항공기를 바꿔 타기 위해 잠시 모스크바 공항에 기착한 것뿐이다.

대합실에서 다음 항공기를 기다리면서 아무리 주위를 둘러봐도 편의 시설이나 앉을 만한 변변한 의자 하나 없다. 공항 전체의 분위기는 촌스러웠다. 천정은 매우 낮았으며 검은색 파이프가 이리저리 지나고 있었다. 그 사이로 간간이 비추는 조명은 빛이 약해 칙칙하고 어두컴컴했다. 글을 읽기도 어려울 지경이었다. 상점도 없었다. 우리는 연결되는 비행기가 뜰 때까지 무료하게 기다렸다. 하지만 항공편 연결이 쉽지 않아 우리 일정은 하루를 모스크바에서 묵고, 다음 날 이스탄불로 가는 여정으로 변경되었다.

상점에 가려면 입국 심사대를 지나야 하는데, 심사 기다리느라 꽤 긴 시간을 소모했다. 일단 상점이 있는 데까지 들어갔다. 그리고 거기서 또 무작정 기다렸다. 기다리는 동안 화장실 가는데 줄을 서서 다섯 명씩 한 조가 되어 안내자를 따라가야만 했다. 겨우 그곳을 벗어나 버스 기다리기를 또 한 시간 정도. 3시간 만에 숙소에 도착했다. 공항 바로 옆에 있는 숙소인 노보텔까지 들어가는 데만 3시간이나 걸렸다. 그리고 카운터 직원이 나올 때까지 또 10여 분을 기다렸다. 방에 들어가기까지 또 30분쯤 걸렸다.

장황한 이야기 같겠지만 느낀 점이 있어서 적는다. 우선 공항 시설이 너무 낙후한 것에 놀랐다. 가난한 나라의 공항인가 하는 의심이 든다. 규모도 우리나라 지방 공항 정도다. 비행 정보 정도는 알려줘야 할 텐데 그 어디에도 필요한 정보를 찾을 수 없었다. 서비스를 베풀 필요가 없다는 것이 몸에 배어있는 투였다. 개선해야 할 점들이 한둘이 아닌데 러시아 당국은 이런 것에 아예 관심도 없는 것 같았고 개선하려는 노력의 흔적도 찾을 수가 없었다. 우리는 모스크바 공항을 경유한 여정을 후회했으나 이미 늦었다. 이런 나라가 어떻게 한때나마 미국과 더불어 전 세계를 호령할 수가 있었단 말인가? 우리의 짧은 체류 일정으로 그런 질문에 자세한 답을 구할 수는 없겠다. 다만 사회주의 전반에 걸쳐 존재하는 비효율적 문제가 심각하다는 생각이 들었을 뿐이다.

튀르키예와 그리스 여행을 마친 후 다시 러시아에 정식으로 입국해 하루를 체류하게 되었다. 오밀조밀하고 예쁜 옛 교회 건축물도 보았고 큼직하고 우람한 여러 기관 건물도 보았다. 관광지 중 레닌의 시신이 안치된 곳이 인상에 남는다. 그곳을 보긴 했는데 러시아인 안내자가 정숙해야 한다며 말도 하지 말고 모자도 벗으라고 한다. 얼마 전에 중국인들이 이곳에 왔다가 떠들어 제지했지만, 계속 떠들어 군인들이 정강이를 걷어차 내쫓았다고 전해 준다. 잘못하면 총을 들 수도 있는데 이것은 거짓이 아니라고 겁을 준다. 레닌을 우상화하는 모습을 보면서 참 희한한 나라라고 생각했다. 다른 역사적인 유적이나 문화유산을 이 정도 수준으로 관리하고 받아들였다면 벌써 관광 대국이 되었을 것이다.

우리는 튀르키예와 그리스 지역에 산재해 있는 유적을 통해서 대제국의 흥망성쇠를 보았다. 역사의 수레바퀴가

지난 자리에서 옛날의 그 찬란했던 문화유산에 감탄을 아끼지 않았다. 그런 터라, 모스크바를 하루 이상 볼 것이 있을까 하는 생각도 들었다. 이런 시각으로 러시아를 보니 내세울 만한 것이 별로 없는 듯했다. 13세기 이전의 러시아 역사는 별것이 없고 그 후에도 열강 중의 한 나라라고는 하지만 영국, 프랑스, 독일을 능가한 것 같지도 않기에 하는 말이다.

그런데 근대에 들어와서는 얘기가 다르다. 음악, 문학, 예술 부문에서는 다른 나라에 별로 뒤지지 않았다. 특히 20세기 중반 이후엔 미국과 더불어 전 세계를 지배하는 패권 다투기를 반세기나 지속했다. 자연히 러시아인들은 이 시절의 향수나 자부심이 있을 만했다. '50년대 말에 세계 최초로 스푸트니크 우주선을 우주로 쏘아 올리기도 했고, '60년대 초엔 쿠바에 핵미사일을 배치해 미국과 한판 떠보려는 생각도 했던 나라다. 유럽에서는 주위의 여러 군소국이 다 그 앞에 엎드려 있는 형국이었으니 어쨌든 기고만장했으리라. 이전에 한 번도 이처럼 강한 국가의 위세를 떨쳐 본 적이 없었으니 말이다.

그래서 그 자부심을 나타내기 위해 레닌을 과도할 정도로 우상화하는 것이 아닌가 하는 생각이 들었다. 내가 본 모스크바 공항의 빈약한 시설과 종사자들의 태도, 그리고 핵 강국이자 냉전시대의 한 축으로 강력했던 나라의 이미지, 이 두 이미지가 머릿속에서 오버랩 되어 맴돈다. 나는 어딘가 짝이 맞지 않는다는 생각이 들었다. 이런 마음을 품은 채 귀국을 서둘렀다.

오랫동안 관심에서 사라졌던 러시아가 다시 나타났다. 2022년에 우크라이나를 침공한 것이다. 무차별 포격으로 민간인이 사는 건물을 파괴했다. 심지어 큰 글씨로 어린이가 있는 곳이라고 쓰여 있어 조종사도 읽을 수 있는 건물에 전투기에서 미사일을 발사해 수많은 어린이가 다치고 죽었다. 의도적으로 무고한 시민들과 어린아이들을 죽게 한 것이다. 파괴된 시가지를 점령하고도 민간인의 시체를 며칠째 그대로 방치하고 있다. 참혹한 일이다. 여러 나라가 러시아를 비난하며 책임이 있다고 경고한다.

그러나 정작 러시아는 자기들에게 책임이 없다고 오리발을 내민다. 오히려 가짜 뉴스라고 선전한다. 여러 뉴스에서 러시아군의 지휘체계에 문제가 많고 장비나 보급도 형편없었다고 전한다. 한마디로 일류 국가의 군대가 아니라는 것이다. 힘 있는 나라가 이기지 못하고 전투가 소강상태라고 한다. 이 말이 사실이라면 우크라이나보다 5배는 더 큰 군사력을 가진, 그리고 한때 세계를 쥐락펴락했던 러시아가 전투에서 이기지 못하는 것을 어떻게 이

해해야 할까?

20여 년 전에 했던 생각을 또 하게 된다. 성지순례를 마치며 한 제국이 종말을 고할 때의 모습과 지금 우리 눈에 비친 러시아의 모습이 겹쳐 보이는 것은 나만의 착시일까? 러시아를 이런 시각으로 보면서 자문해 본다. 과거 러시아가 강한 국가를 유지할 수 있었던 정신적인 힘은 무엇이고 그 힘이 지금도 남아 있을까? 마르크스 레닌주의 실험은 이미 끝나지 않았는가? 그러면 다른 무엇이 남아 있을까? 패륜에 가까운 일을 서슴지 않고 실행하는 나라가 강대국인가? 답이 보이지 않는다.

20여 년 전 내가 잠시 들렀던 나라가 지금은 이웃 나라와 불필요한 전쟁 중이다. 많은 것을 생각하게 하지만 이 나라가 무엇인가 전폭적인 개혁을 하지 않고는 소망이 없다는 느낌이다. 1999년의 러시아와 2022년의 러시아는 무엇이 달라졌는가? 후진(後進)과 최강(最强)이 함께 공존하며 여전히 짝이 맞지 않은 채로 우리에게 투영되는 러시아는 과연 어떤 나라인가?

7. 네 생각은 왼쪽, 내 생각엔 오른쪽

선생님이 학생들에게 술을 마시면 몸에 해롭다는 사실을
알려주기 위해 실험을 했다. 선생님은 두 개의 유리 시험
관에 각각 물과 독한 술을 넣었다. 그리고 살아있는 지렁
이를 한 마리씩 각각 시험관에 넣었다. 물에 넣은 지렁이
는 살아서 꿈틀거리는데, 술에 넣은 지렁이는 몸부림치
더니 금방 녹아버린다.

"여러분, 지렁이가 녹아 없어지는 것을 보고 무엇을 느꼈나
요?"

선생님의 물음에 한 학생이 씩씩하게 답한다.

"술을 많이 마시면 몸속의 기생충이 싹 녹아버립니다."

선생님은 음주의 위험성을 알리려 한 것이었는데, 이 아이는 엉뚱하게 해석했다. 생각의 차이고, 관점의 차이 때문이다.

논객으로 나온 정치인이 토론장에서 자기가 속한 정당의 관점에서 의견을 피력할 때도 비슷한 일이 벌어진다. 논객 개인의 생각과 그가 속한 정당의 입장이 다른 경우다. 논쟁에서 그는 자신의 견해와는 다른 입장에서 얘기한다. 법과대학의 모의재판에서는 재판에 참여하는 학생들을 검사 측과 변호사 측으로 인위적으로 나누어 제시된 다툼 사건에 대해 고발과 변호를 하게 한다. 자신과 생각이 다르지만 맡은 역에 따라 칼날 같은 논리를 찾아 토론에 대응해야 한다. 교육의 한 과정으로서의 논쟁 훈련은 관점의 차이를 명확하게 보여준다.

한때 슈마허의 『작은 것이 아름답다』(Small is Beautiful) 라는 책이 많이 읽혔다. 작은 것의 가치를 재발견하게 하는 책이다. 덩치가 아니라 가치라고 말이다. 유학 생활에서 나는 몸집이 크고 유창한 언변으로 자신의 실력을 과시하는 서양 사람을 만날 때마다 꿀리기 싫어 뼈 있는 농담을 던지곤 했다. "I'm a Dime between the Nickles." 미국 화폐에서 다임(Dime)은 작은 은전으로 10센트 짜리고, 니클(Nickle)은 주석이 섞인 큰 동전으로 5센트 짜리다.

다임은 작으나 니클은 크다. 유머 같은 이 농담을 해석하면, '비록 내가 몸은 작지만 값진 10전 짜리요, 너는 허우대만 큰 값싼 5전 짜리다.'라는 말이다.

피곤했던 미국 유학 생활에서 그래도 당당하게 자기고양(自己高揚)에 한껏 취할 수 있는 워딩, 아니 객기라 할까?

"나는 덩치만 큰 허깨비 같은 너희들 사이에서 반짝반짝 빛나는 보석이야. 그러니까 까불지 마, 너흰 잘난 것 없어. 내가 너희보다 더 가치 있고 스마트해."

뭐 이런 뜻이다. 동전의 가치로 보나 자기고양 측면에서 보나 앞뒤 좌우가 딱 맞는 농담이다.

그런데 달리 생각해 보면 동전의 가치보다 동전의 크기에 더 무게를 둘 수도 있겠다. 관점을 바꿔보는 것이다. 보통 때면 동전의 크기가 가치를 제치지는 않지만, 어떤 경우에는 가치보다 크기를 생각해야 할 때가 있다. 상대방을 배려해야 할 때다. 그러면 이 뼈 있는 농담은 전과 다른 의미가 된다.

"니클이라는 크고 든든한 거인이 옆에서 잘 보호해 줬기에 작고 약한 다임인 내가 살아남을 수 있다."

내가 잘났다는 자기고양(自己高揚)이 아니다. 나를 도와주시는 분들이 주위에 있기에 오늘의 내가 존재할 수 있다는 겸손한 해석이다. 관점이 전혀 다르다.

시대정신에 따라 사람들의 관심은 바뀐다. 예전에는 좋은 상품이 팔렸으나 이제는 좋아하는 상품이 팔린다. 스타벅스 커피숍에 가면 동네 도서관처럼 긴 시간 책을 보거나 공부도 할 수 있다. 나가라고 하는 사람이 없다. 비록 이름은 커피숍이지만 이곳은 더 이상 커피 마시러 가기보다 다른 목적으로 간다. 책을 읽으려고 가거나 컴퓨터 작업을 하려고 간다. 시대정신이 이끄는 문화에 동참하려고 가는 것이다. 관점이 달라졌다. '너는 사물의 왼쪽을 보나, 나는 사물의 오른쪽을 생각한다.' 이렇게 사람은 관점에 따라 세상 사물을 보는 눈이나 해석이 전혀 다를 수 있다.

6부

삶의 지혜를 찾다

1. 공부 잘하면 반칙?

아파트 지하실의 좁은 주차장에서 초보운전자가 차를 불안하게 몬다. 운전 유경력자로부터 싫은 말을 계속 듣게 되자, 초보자들이 모임을 결성했다. 그리고는 대자보를 붙였다. '운전 잘하면 반칙.' 반어법의 묘미다. 이들의 재치에 그저 웃고 말았으나 마음 한구석에 무언가가 남아 있다. 얼마 전 방송에서 '그림 잘 그리면 반칙'이라는 아마추어 초보 화가들의 모임이 있다고 들었다. 그림 잘 그리지 못하는 사람들의 모임이란다.

문득 이런 생각이 든다. 노래를 잘 부르지 못하는 사람들이 모임을 결성하면 '노래 잘 부르면 반칙'이라는 크루(Crew)가 생길 것이다. 이런 얘기를 중학생들에게 한다면, 즉각 '공부 잘하면 반칙'이란 반응을 보일 게 뻔하다. 이게 그들의 정서다. 연장해 생각하면 '부모 말 잘 들으면 반칙'이라는 말도 당연히 있을 법하다. 중딩의 관점으로 보면 그렇다는 말이다. 그들 세계에서는 반발하고 튕기는 것이 예사니까. 혹자는 이런 현상을 '중2병'이라고도 한다.

중2병에 대해 한번 생각해 보자. 심리학자들은 기성세대에 반항하고 싶은 나이에 나타나는 심리 현상으로 볼 것이다. 의학자들은 뇌하수체의 호르몬 분비로 생체생리 현상이 변하면서 나타나는 현상이라고 할 것이다. 교육에 종사하는 선생님들의 견해는 어떨까? 학습 과정에서 이탈하고 싶어 하는 학생들을 칭하는 말이라고 볼 것이 틀림없다. 그렇다면 부모들은? 이러쿵저러쿵 @$%&# 견해가 다양하게 섞여 있다. 한마디로 뭐라 말할 수 없다. 사실 중2병은 중학생들 스스로 쓰는 단어는 아니고 제3자가 이들을 지칭하는 말이다.

정말 공부 잘하면 반칙인가? 그건 아닐 것이다. 공부 잘해 나쁠 일이 하나도 없다. 문제는 공부 지상주의 때문에 그 나이에 연마해야 하는 인격도야, 배워야 할 예의범절, 부딪혀야 할 사회 경험 같은 과정들을 건너뛴다는 데 있다. 또 인간이 마땅히 갖춰야 할 기본적인 자질을 습득해야 하는데 그것을 공부의 범주에 넣지 않는 데 있다. 왜 이렇게 지식만을 채우려는 '공부 지상주의'가 자리 잡게 되었을까? 아마도 대학입시 준비 때문이리라. 여기서부터 엇박자로 모든 게 뒤틀린다.

공부 잘하면 반칙이라는 말은 공부 못해야 좋다는 말이 절대 아니다. 반어법의 묘미를 모르고 글자 그대로 읽는 사람은 바보다. 번역할 때 원문을 문자대로만 옮기는 것과 같다. 그래서 뜻이 통한다면야 별문제가 없겠지만 의미가 왜곡된다면 그건 '아니다.'다. 내가 하고 싶은 말은, 공부해서 인간다운 인간이 되어야 하는데 인간다운 인간이 되지 못하면, 공부한 것이 모두 헛것이라는 뜻이다.

2. 희망을 일구라

당나라 장공예의 집안에서 자식들이 한집에서 살았다. 자식의 자식이 장성하여 자손이 번성하여도 결코 세간을 내지 않았다. 그렇게 5대를 살다 보니, 식구가 백여 명이 넘게 되었다. 집이 좁아 복닥거리며 살아도 그 집안은 화목하였다. 이 소문이 당나라 황제 고종의 귀에까지 들어갔다. 기특히 여긴 황제는 5대까지 내려오며 화목하게 산 비법을 묻는다. 장공예는 붓을 들어 '참을 인'(忍) 자를 백 번 쓴 후 말한다.

"많은 사람이 살면서 화목하지 못함은 어른들의 의복과 음식이 고르지 못하거나 젊은이들의 예절이 잘못된 탓입니다. 저희 집안은 오직 참는 것을 집안의 법으로 삼고 있습니다. 누구나 서로 이해하고 참으니까 자연히 화목하게 지내게 됩니다."

장공예의 말이 우리 시대에 너무 어려운 주문일까?

강철왕으로 알려진 앤드루 카네기가 전해준 이야기다. 어느 날 그가 시장 집무실을 방문했을 때 평범한 그림 한 점이 중앙 위치에 걸려있었다. 썰물 때 모래톱 위에 내팽개쳐진 낡아빠진 거룻배가 그려져 있었다. 노는 볼썽사납게 나뒹굴고, 파도조차 외면한 쓸모없는 것들만 남겨진 그림이다. 그림 밑에는 이렇게 쓰여 있다.

"밀물은 반드시 온다."

카네기는 궁금해 그림의 사연을 묻자 시장은 눈을 감고 천천히 자전적 고백을 다음과 같이 털어놓는다.

"세일즈맨이었던 28세 때였습니다. 저는 실패를 거듭했고 큰 절망 속에서 허덕이고 있었습니다. 정말 어려웠습니다. 이때의 아픔은 참으로 견디기 힘들었습니다. 모든 것을 포기하고 싶었습니다. 당시 저는 어느 사무실을 방문하였다가 저 그림을 보았습니다. 순간 가슴엔 파도처럼 충격이 밀려왔습니다. 지금은 물이 빠진 썰물 때이지만 언젠가는 반드시 밀물 때가 온다는 메시지였습니다. 내게도 성공할 수 있다는 희망이 생겼습니다. 그 후 저는 저 그림을 얻었고, 날마다 그림을 들여다보며 절망적인 생각을 희망의 생각으로 바꾸곤

했습니다. 그렇게 저는 참고 인내했습니다. 그래서 오늘의 제가 있습니다."

감수성이 예민하던 젊은 날, 한 젊은이가 좌절하지 않고 잘 인내한 이야기다. 평범한 그림 한 점이 한 사람의 인생을 이렇게 바꿀 줄이야. 우리에게도 이런 기회는 있을 것이다.

오늘도 경제문제를 비롯한 여러 어려움에 직면한 사람들이 꿈을 접고 방황하고 있다. 자포자기하는 이가 있는가 하면, 또 어떤 이는 술로 세월을 보낸다. 그러나 꿈이 있는 사람은 때가 되기를 기다린다. 그리고 현실적인 어려움을 조용히 참아낸다. 인내하고 견딘다. 이 사람이 현명한 사람이다. 시련의 때를 무의미하게 보내지 않고 값있게 보내기 때문이다. 혹독한 시련의 때에 단련한 인내는 절망을 희망으로 바꿔 준다. 달걀을 깨뜨린다고 당장 병아리가 나오는 것이 아니듯, 오직 오래 품고 기다려야 한다.

자장이 스승 공자와 하직하며 이런 대화를 나눈다.

"원컨데 몸을 닦는 미덕을 가르쳐 주소서."
"모든 행실의 근본은 참는 것이니라."
"어째서 참아야 합니까?"

"천자가 참으면 나라에 해가 없을 것이요, 제후가 참으면 땅이 커질 것이요, 벼슬아치가 참으면 그 지위가 올라갈 것이요, 부부가 참으면 일생을 같이 해로할 것이요, 벗끼리 참으면 서로 명예를 잃지 아니할 것이요, 내가 참으면 내게 화(禍)와 해(害)가 없으리라."

"참지 않으면 어떻게 되나이까."

"천자가 참지 않으면 나라가 빈터로 변할 것이요, 제후가 참지 않으면 몸을 가누지 못하게 될 것이요, 벼슬아치가 참지 않으면 법에 걸려 죽게 될 것이요, 형제가 참지 않으면 분거(分居)할 것이요, 벗끼리 참지 않으면 정의가 멀어질 것이요, 내가 참지 않으면 자신에게서 근심이 없어지지 아니하리라."

"아아, 좋으신 말씀이십니다! 참는 것이 어려운 일이지만, 참지 못하면 사람이 아니지요."

공자가 참는 것이 이롭다고 하신 말씀을 자장이 깨달았던 것과 같이 우리도 잘 참아 유익함이 있으면 좋겠다.

눈앞에 직면한 어려움으로 고통스러운가? 인내는 연단을 낳고, 연단은 희망을 품을 수 있다. 어려울 때마다 인내하는 것이 바람직한 삶의 자세다. 인내는 모든 고통에 대한 최선의 치료약 임을 기억하자. 미래의 모든 가능성을 열 수 있는 문의 열쇠는 인내다. 인내로서 희망을 이룰 수 있음을 알아야 한다.

3.   청음과 잡음

청음(淸音)과 잡음(雜音)이라는 단어는 이비인후과 병원, 음악, 방송 통신 영역에서 주로 쓴다. 병원에서는 소리가 잘 들리면 청음이라 하고, 음악에서는 화음이 잘 맞으면 청음이라 한다. 한편 라디오에서는 주파수를 잘 맞춰 선택한 방송의 맑은 음을 들을 수 있으면 청음이다. 그러나 주파수가 맞지 않거나 불필요한 음이 섞여 직직거리는 소리가 나면 그건 잡음이다. 깨끗한 청음을 듣고 싶은데 잡음이 섞이면 짜증 난다. 잡음은 방송 청취를 방해하는 요소다.

그런데 어떤 면에서는 삶의 감칠맛을 내는 잡음도 있다. 마누라 잔소리다. 잡음일까? 그럴 수도 있겠다. 어른들이 중요한 얘기를 하고 있는데 아이들이 무얼 달라고 끼어

들면, 그것도 잡음일 수 있다. 이렇게 세대가 어울려 살면서 나는 잡음은 사람 사는 맛이 우러나는 잡음이다. 청음은 아니지만 이런 종류의 잡음은 삶의 다양성과 여유를 보여주는 하나의 청량제 역할을 한다. 이런 잡음 외에 다른 잡음을 허용하는 것은 현명하지 못하다.

우리 사회도 청음만 들리면 좋겠는데, 잡음이 끊이질 않는다. 심지어는 탁음도 들린다. 듣기 싫은 소리는 잡음이고, 듣지 말아야 할 소리는 탁음이다. 그런데 어떤 사람에게는 꼭 그렇지도 않은가 보다. 잡음이나 탁음 수준의 소리를 독창적이라고 한다. 그것참! 옛날에는 화음이 잘 어울리는 음악을 좋은 음악이라고 했는데 요즈음에는 불협화음의 음악도 화음 음악과 함께 자리한다. 불협화음 자체를 선호하는 것 같다. 그래서 그런지 아무렇지도 않은 것처럼 남의 험담을 말하고, 불필요한 댓글을 달뿐 아니라, 윗사람을 꼰대라고 비꼬곤 한다. 이런 건 다 잡음이나 탁음이다. 상대방 깎아 내리기 경쟁을 하는 정치인들의 말, 그것도 잡음이다. 정도가 지나쳐 남을 모해할 정도면 그것은 탁음이다.

남을 비하하거나 험담하는 잡음은 해가 될 뿐, 누구에게도 도움이 되지 않는다. 습관적으로 남을 모해 하거나 의도적으로 잡음이나 탁음을 내는 것은 건전한 사회의 현상이 아니다. 어떤 조건에서도 이런 습관은 삼가고 버려야 한다. 그래야 청음을 들을 수 있다. 그리고 젊은 세대가 경험 많은 기성세대의 충고를 마음에 들지 않는다고 잡음으로 듣는다면, 그것도 철없는 짓이다. 윗사람이 청음을 말하는데, 그것이 듣기 싫어 노친네의 잔소리로 여기면, 그 젊은이의 미래는 암울하다. 사회에 바람직하지 않은 왜곡이 깃들 수 있기 때문이다. 그러니 잡음 대신 청음을 내도록 하자.

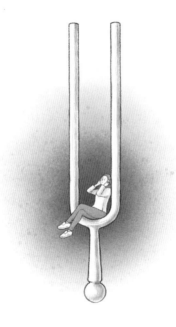

4. 후회 없는 시간

섬머타임이 시작되던 날 뉴욕 주에서 한 사형수가 사형 집행을 기다리고 있었다. 예정대로라면 사형수는 한 시간 빨리 죽을 운명이었다. 집행인은 사형수 본인이 원하면 전날 시간을 적용하여 집행을 한 시간 늦추겠다고 했다. 사형수는 기꺼이 받아들였다. 사람들에게 한 시간은 별거 아닌 것 같아도 죽음이 예정된 사람에게는 1분 1초가 금싸라기 같을 것이다. 자신의 인생이 파노라마처럼 머리를 스치며 후회와 아쉬움이 넘치리라. 그러나 생각해 보면 사형수가 아니라도 사람은 누구나 시간의 끝남이 예정되어 있어 순간순간이 귀중할 수밖에 없다. 그러니 지금 시간은 매우 귀중한 것이다.

시간을 대표하는 것으로 달력이 있다. 예전에는 날마다

한 장씩 뜯어내는 일력이 널리 쓰였다. 365매의 낱장이 두툼하게 하나로 묶인 일력이다. 두툼한 일력을 보면 아직 시간이 넉넉하다는 느낌이 들어 마음에 여유가 생긴다. 낱장을 한 장씩 뜯으면 일력은 얇아진다. 시간도 그렇다. 내게 남은 시간도 얇아져 간다. 그래서 계속 흐르는 시간을 붙잡거나 되돌리려는 시도는 쓸데없는 일이다. 그리스 신화에 카이로스라는 뒷머리가 없는 대머리 신이 나온다. 지나는 시간을 붙잡으려는 시도는 카이로스의 뒷머리를 잡는 것과 같다는 뜻으로 이 신화가 자주 인용된다.

시간에 밀려 뜯겨 나가는 것은 일력의 낱장만이 아니다. 기억하는 과거도 지나간다. 과거가 더 먼 과거로 밀려가는 것이다. 그래선가? 얇아지는 일력을 보면서 나는 종종 우울해지곤 한다. 내가 한 일에 대한 아쉬움 때문인지, 희미해지는 과거 때문인지, 아니면 사는 시간이 그만큼 줄어서인지 그건 잘 모르겠다. 이런 기분을 씻어내기 위해 언젠가 나는 뜯어낸 낱장을 버리지 않고 일력 뒤에 풀로 붙여 보았다. 물론 이렇게 한다고 해서 지난 시간이 돌아올 리 없건만, 기분만이라도 바닥에 팽개쳐지기 싫어서다.

아인슈타인의 상대성 이론에 의하면 시간은 역으로 흐를 수 없다. 시간이 역으로 진행하려면 무한대의 질량을 가지거나 빛의 속도보다 빨리 달려야 한다. 그런데 질량이 무한대일 수 없고 빛보다 빠르게 달릴 수도 없으므로 시간은 뒤로 갈 수 없다. 시간은 그 흐름이 중단되는 법 없이 미래라는 한 방향으로만 계속 진행한다. 물론 운동경기에서는 작전상 타임아웃을 불러 시간의 진행을 중단시킬 수 있다. 그러나 인생 경기장에선 타임아웃이 없다.

되돌아오지 않는 시간은 많은 생각을 하게 한다. 우선 시간은 마술 같은 힘이 있어 지난날의 상처를 아물게 할 수 있다. 또 때로는 영광을 기억 속에 남겨 두기도 한다. 그러나 한편 시간에는 묘한 면이 있다. 사고팔 수가 없다. 상점이나 백화점에서 시간을 살 수 없다. 또 저축할 수도 없다. 은행에서는 현찰이나 수표는 받으나 시간을 받지는 않는다. 그리고 시간은 자손에게 물려줄 수도 없다. 자손이 선대의 삶을 배울 수는 있으나 선대가 살았던 그 시간을 받을 수는 없다. 사거나 저축하거나 맡길 수 없는 것이 바로 시간이다. 지금의 시간이 귀중할 수밖에 없는 이유다.

시간이 이렇게 귀중한데, 우리는 '별로 생각지 않았던 것'에 상당한 시간을 쓰고 있다. 가령 80년을 산다고 가정해보자. 잠자는 데 25년, 일하는 데 25년, 먹고 마시는 데 7년, 전화하고 대화하는 데 7년, 이동하는 데 6년, 세면 목욕 치장하는 데 3년, 놀거나 빈둥거리고 멍 때리는 데 7년을 쓴다. 우리는 인생을 이렇게 보낸다. 그래서 사람들은 대체로 자기가 쓴 시간에 대하여 후회하곤 한다. 지난 인생을 헛되게 보냈다고 말이다. 그러나 어찌하랴? 다른 차원이나 다른 시간대로 갈 수 있다는 웜홀을 통과할 수 없을 바에야, 지난날은 잊어야지. 후회를 아예 없앨 수는 없다손 치더라도 남은 날을 위해 후회할 일을 줄일 수는 있을 것이다. 헛된 시간을 최소화하고 후회 없는 삶을 살기위해 몇 가지 방안을 소개한다. 지혜로운 자와 현인들의 경험에서 얻은 것이다.

첫째, 부정적인 '과거'를 과감하게 잊자. 특히 생각하고 싶지 않은 과거를 빨리 잊자. 과거의 망령이 내 속에서 준동하지 못하도록 해야 한다. 이런저런 지난 일로 생긴 열등감이나, 미워하는 마음, 실패 경험에서 비롯된 좌절감 같은 일에서 과감히 탈피해야 한다. 인간이 가진 잠재 능력 중 망각할 수 있는 조정력을 발휘해, 불필요한 기억은 잊자. 인간의 능력은 무한대까지 확장될 수 있어서 이런 부정적인 감정은 극복할 수 있다. 과거는 지나갔다.

둘째, '오늘'을 귀중하게 생각하자. 어거스틴은 과거는 지나간 오늘이고, 미래는 다가올 오늘이라고 하면서 오늘만이 참된 현실이라고 말했다. 그렇다. 오늘이 중심이다. 오늘을 사는 삶에 따라 내일이 결정되므로 오늘, 지금의 삶이 귀중하다. '여장은 가볍게 해야 행복하다'는 서양 격언처럼 오늘을 단순하고 의미 있게 살아야 한다. 생각이 많아지면 잡다한 근심과 걱정에서 빠져나오기 어렵다. 할 수만 있다면 어린이처럼 단순하게 사는 게 좋다. 행복하게 잠들 수 있으니까. 오늘을 남은 생애의 첫날로 생각하면서 살자.

셋째, '내일'을 위해 생애의 목표를 갖자. 개인의 목표는 크고 높을수록 좋다. 자신만 아니라 이웃을 위해 서든, 사회를 위해 서든, 보람 있는 일을 목표로 한다면 금상첨화다. 눈앞의 이익이나 이기적인 목표에만 집착한다면 후에 후회막급일 수 있다. 긴 호흡으로 큰 꿈을 꾸자. 꿈이 나를 만든다. 일본 홋카이도 대학에 선교사로 왔던 윌리엄 클라크 선교사의 이임사다. "청소년들이여 야망을 가져라. 돈이나 자기를 높이기 위한 야망을 추구하지 말고 명성이라는 덧없는 것을 위해 야망을 품지 말라. 오직 사람으로서 마땅히 해야 할 일을 하려는 야망을 꿈꾸라." 사람은 삶의 목표가 뚜렷할 때 후회 없는 시간을 보낼 수 있다.

5. 꿔다 논 보릿자루

'꿔다 논 보릿자루'는 국어사전에 '꾸어다 놓은 보릿자루'라고 되어 있다. 글자 그대로 보릿자루를 꿔다 놓았다는 말이다. 그런데 이 말은 더 확대된 의미로 쓰인다.

사람이 살다 보면 이런저런 사람을 만나게 되고 여러 모임에도 나가게 된다. 그런데 모임에서 부자연스러울 때가 있다. 사람들과 어울리지 못하고 외톨이로 홀로 있을 때다. 외톨이로 따로 있는 이 사람을 꿔다 논 보릿자루라고 한다. 모인 사람들과 화학적 융합을 하지 못하고 툭 튀어나는 물리적 존재로, 쑥스럽거나 까칠하게 남아 있는 사람이다. 그에게는 모임이 부담이다.

어떤 모임에 초대를 받아 갔다. 막상 가보니 나를 초청한 사람 외에 아무도 아는 사람이 없다. 참석자들은 서로를 잘 아는 듯 이런저런 얘기를 나누느라 시간 가는 줄 모른다. 그런데 나는 그들의 대화에 끼지 못한다. 초청자가 가끔이라도 대화를 나눌 수 있게 배려한다면 그건 참 다행일 것이다. 그런데 그가 그렇게 하기에는 너무 바쁘다. 그보다도 초청자가 나를 배려할 여유나 의사가 없을 때면 초대받은 나는 매우 난감할 수밖에 없다. 가만히 있기가 매우 거북하니까.

모인 이들의 대화에 요령껏 끼어들어 말을 걸어 보지만 결과는 뻔하다. 단답형으로 끝난다. 그들은 다시 그들만의 세계로 돌아가 끼리끼리 낄낄거리며 재미있는 시간을 만끽한다. 내 느낌은 영 꽝이다. 속이 다 뒤틀리면서 '왜 나를 오라 했냐'고 소리 안 나게 말을 내뱉는다. 괜히 왔다는 생각이 든다. 이런 분위기인 줄 알았다면 아예 오지 말걸… 뒤늦게 후회하나, 만사 휴의다. 모임에서 이처럼 괴로운 시간을 보내는 외로운 사람을 가리켜 꿔다 논 보릿자루라고 한다.

교양 있는 사람은 이웃이나 옆 사람을 꿔다 논 보릿자루로 만들지 않는다. 그럼에도 가끔은 나 역시 어이없는 실수를 하곤 한다. 집사람과 함께 어떤 대학교수들의 모임에 갔다. 나는 그들과 늘 만나 친숙한 편이지만, 아내에게는 대체로 낯선 이들이다. 그래도 그리 염려하진 않았다. 잘 적응하리라 믿었다. 나는 오히려 그 자리에 꿔다 논 보릿자루 한 분이 있길래, 그에게 다가가 친구 노릇을 해 줬다. 그 사람을 편하게 해줬다. 교양인답게 행동했다고 스스로 자부하고 있었는데 문제가 생겼다.

정작 꿔다 논 보릿자루는 내 아내였다. 처음 만나는 사람에게 붙임성 있게 다가가는 편이 아닌 데다, 모인 이들과 공통적인 주제가 별로 없었던 거다. 대화가 이어지기 힘들 수밖에. 아내에게 미안한 마음이 든다. 그러나 그보다도 난 이제 집에 가면 죽었다 싶어 마나님 눈치 보기에 바쁘다. 왕 앞에 조아려 선 신하처럼 "죽여주시옵소서, 죽여주시옵소서." 하고 사죄해야 할 판이다. 아, 결국 나는 교양인이 아닌가 보다. 이런 상황을 우리말로 뭐라 하나? "죽 쒀서 남 주나." 인가? "꼬락서니 파악도 못 하는 놈."인가? 아니면 뭐라 하는지 국문학자들이여 도와주시게나.

6.   급류엔 무거운 돌을 들어야

한 탐험가가 아프리카 오지로 들어갔다. 어떤 마을로 들어가려는데 갑자기 하늘이 어두워지더니 이내 폭우가 쏟아진다. 삽시간에 골짜기에 물이 차고, 물줄기가 급류로 변해 강이 된다. 아차, 계곡 저편으로 건너야 하는데 방법이 없다. 다리도 없고 보트도 없다. 그저 걱정만 하고 있는데 가까이서 웅성거리는 소리가 들린다. 돌아보니 놀라운 광경이 보인다. 원주민들이 급류(急流)를 건너고 있다. 그들은 저마다 무거운 큰 돌을 하나씩 가슴에 안고 줄지어 물속을 걷는다. 아니 저 무거운 돌을 들고 급류를 건너다니. 그러나 탐험가는 이내 깨닫는다. 저들은 저마다 하나씩 안고 있는 돌의 무게로 급류에서 중심을 잡고 있다. 큰 돌의 무게 때문에 불어 오른 급류에 휩쓸리지 않고 안전하게 건너간다.

언제부터인가 우리 사회는 무게를 잃고 경박해지는 방향으로 가고 있다. 급류를 만나면 무거운 돌을 들어야 하는데, 오히려 무거운 짐을 내려놓는다. 무거운 짐이나 어려운 것은 버리자고 한다. 학생들은 어려운 전공을 피한다. 의사 지망생들도 소아과나 산부인과는 피하고 안과나 성형외과 같은 전공을 선호한다. 직장에서도 부담스러운 과제라도 접할라치면 손사래 치는 사람이 많다. 책임질 일에는 아예 복지부동하면서 누군가가 해주겠지 한다. 이러면 누가 궂은일이나 책임질 일을 하겠는가? 쉽게 이루거나 쉽게 돈 버는 직업을 더 선호하는 게 현실이다. 더 실망스럽고 슬픈 현실이 있다. 장래의 희망에 무게를 실어 주어야 할 사람이 오히려 눈앞의 열매만 바라보며 희망의 싹을 자르고 있다. 깊은 뿌리를 보려 하지 않는다.

물이 불어난 급류를 건너가려면 무거운 돌을 안고 가야한다. 그래야 급류를 건넌다. 그런데 무거운 돌 대신 어떤 요행만 바라는 가벼운 생각으로 급류를 건너려 한다. 건널 수 없어 포기하면 절망만 남게 된다. 급류를 건넌다는 희망은 사라진다. 오늘 우리가 직면하는 사회 분열이나 혼란은 알고 보면 이런 가벼움으로부터 오는 것이 부지기수다. 말의 가벼움, 생각의 가벼움, 행동의 가벼움. 이러한 가벼움으로는 급류가 휩쓰는 현실의 어려움을 극복할 수 없다. 우리 모두 표류(漂流)할 수밖에 없다. 그런데도 지금 우리는 점점 더 경박해지는 쪽으로 나간다. 무게가 필요한 때인데도 말이다.

당면한 어려움을 극복하기 위해서는 그 어려움이 가진 무게를 견뎌야 한다. 우리에게 부과된 짐은 고통스러워도 묵묵히 져야 한다. 가볍게만 하려 해서는 급류라는 현실을 건널 수 없다. 가치관도 이와 같다. 가벼움을 추구하는 가치관을 벗어나야 한다. 탁류(濁流)가 흐르는 세상 물결에 휩쓸리지 않는 묵직한 가치관을 가져야 한다. 세찬 급류는 무거운 돌을 안고 마주할 때 극복할 수 있다. 희망은 극복하고자 할 때 생긴다. 절망으로 극복되는 일은 없다. 희망만이 영원과 속삭이는 대화로 승화할 수 있기 때문이다. 세찬 급류를 건너기 위해 우리는 무거운 돌을 안고 급류를 건너는 원주민에게서 배워야 한다. 어려운 일, 주어진 짐을 묵묵히 지는 사람이 많아질 때, 우리 사회는 더 밝아질 것이라 믿는다.

ㅎ ㅎ ㅎ ㅋ ㅋ ㅋ

초판 2쇄 발행   2023년 10월 25일

지은이   강일구

표지 디자인   신현수
본문 디자인   이경은

펴낸이   심규남
펴낸곳   연두에디션

신고번호   2015년 12월15일(제2015-000242호)
전화   031-932-9896
팩스   070-8220-5528
이메일   yundu@yundu.co.kr
정가   16,000원

ISBN   979-11-93177-03-7 (03190)